1580242808

中华人民共和国国家标准

挤压钢管工程设备安装与验收规范

Code for installation and acceptance
for engineering equipment of extrusion steel pipe

GB 51105-2015

主编单位：中 国 冶 金 建 设 协 会
批准部门：中华人民共和国住房和城乡建设部
施行日期：2 0 1 6 年 2 月 1 日

中国计划出版社

2015　北　　京

中华人民共和国国家标准

挤压钢管工程设备安装与验收规范

GB 51105-2015

☆

中国计划出版社出版

网址：www.jhpress.com

地址：北京市西城区木樨地北里甲11号国宏大厦C座3层

邮政编码：100038　电话：(010) 63906433 (发行部)

新华书店北京发行所发行

三河富华印刷包装有限公司印刷

850mm×1168mm　1/32　3.25印张　80千字

2015年12月第1版　2015年12月第1次印刷

☆

统一书号：1580242·808

定价：20.00元

版权所有　侵权必究

侵权举报电话：(010) 63906404

如有印装质量问题，请寄本社出版部调换

中华人民共和国住房和城乡建设部公告

第 814 号

住房城乡建设部关于发布国家标准《挤压钢管工程设备安装与验收规范》的公告

现批准《挤压钢管工程设备安装与验收规范》为国家标准，编号为 GB 51105—2015，自 2016 年 2 月 1 日起实施。其中，第 2.0.9、2.0.17、11.1.7 条为强制性条文，必须严格执行。

本规范由我部标准定额研究所组织中国计划出版社出版发行。

中华人民共和国住房和城乡建设部
2015 年 5 月 11 日

前　　言

本规范是根据住房城乡建设部《关于印发〈2012 年工程建设标准规范制订修订计划〉的通知》（建标〔2012〕5 号）的要求，由中国五冶集团有限公司会同有关单位编制而成。

本规范在编写过程中，进行了广泛的调查研究，总结了多年来的工程施工实践经验，并在广泛征求有关单位和专家意见的基础上反复修改，最后经审查定稿。

本规范共分 11 章及 5 个附录，主要技术内容包括：总则，基本规定，设备基础、地脚螺栓和垫板，设备及材料进场，管坯准备段设备，穿（扩）孔机，挤压机，挤压线辅助设备，环形加热炉，精整线设备，安全及环保等。

本规范中以黑体字标志的条文为强制性条文，必须严格执行。

本规范由住房城乡建设部负责管理和对强制性条文的解释，由中国冶金建设协会负责日常管理，由中国五冶集团有限公司负责具体技术内容的解释。本规范在执行过程中，如有意见和建议请寄送中国五冶集团上海有限公司（地址：上海市宝山区铁力路 2501 号，邮政编码：201900，传真电话：021-36214485，E-mail：shwyjszx@163.com）。

本规范的主编单位、参编单位、主要起草人和主要审查人：

主 编 单 位：中国五冶集团有限公司
参 编 单 位：宝山钢铁有限公司特钢事业部
　　　　　　　中冶天工上海十三冶建设有限公司
主要起草人：周继军　代智肄　冉　隆　赵叶辉　许　武
　　　　　　　张大勇　李建全　袁旭东　李　曦　匡礼毅
　　　　　　　陈和平　兰　静　李志芬　王　宏

主要审查人: 周　勤　郭启蛟　李长良　孙兴利　庞遵富
　　　　　　严江生　赵　聪　李　军　陈红武　余华春
　　　　　　杨铁荣　颜　钰　张海军　徐杰颖

目 次

1 总　　则 …………………………………………………（ 1 ）
2 基本规定 …………………………………………………（ 2 ）
3 设备基础、地脚螺栓和垫板 ……………………………（ 5 ）
　3.1 设备基础施工 ………………………………………（ 5 ）
　3.2 设备基础验收 ………………………………………（ 5 ）
　3.3 地脚螺栓安装 ………………………………………（ 6 ）
　3.4 地脚螺栓验收 ………………………………………（ 7 ）
　3.5 垫板安装 ……………………………………………（ 7 ）
　3.6 垫板验收 ……………………………………………（ 8 ）
4 设备及材料进场 …………………………………………（ 9 ）
　4.1 一般规定 ……………………………………………（ 9 ）
　4.2 设备及材料验收 ……………………………………（ 9 ）
5 管坯准备段设备 …………………………………………（10）
　5.1 短(长)尺带锯机安装 ………………………………（10）
　5.2 短(长)尺带锯机验收 ………………………………（10）
　5.3 剥皮机安装 …………………………………………（11）
　5.4 剥皮机验收 …………………………………………（11）
　5.5 端面加工机安装 ……………………………………（11）
　5.6 端面加工机验收 ……………………………………（12）
　5.7 定心孔钻床安装 ……………………………………（12）
　5.8 定心孔钻床验收 ……………………………………（13）
　5.9 长深孔钻床安装 ……………………………………（13）
　5.10 长深孔钻床验收 ……………………………………（14）
　5.11 管坯准备段设备试运转 ……………………………（14）

6 穿(扩)孔机 ·· (16)
6.1 底座安装 ··· (16)
6.2 底座验收 ··· (16)
6.3 机架安装 ··· (17)
6.4 机架验收 ··· (18)
6.5 镦粗梁(穿孔梁)安装 ·································· (20)
6.6 镦粗梁(穿孔梁)验收 ·································· (20)
6.7 扩孔筒安装 ··· (20)
6.8 扩孔筒验收 ··· (21)
6.9 机械手安装 ··· (21)
6.10 机械手验收 ·· (21)
6.11 玻璃粉润滑台安装 ···································· (22)
6.12 玻璃粉润滑台验收 ···································· (22)
6.13 穿(扩)孔机试运转 ··································· (22)

7 挤 压 机 ·· (23)
7.1 底板安装 ··· (23)
7.2 底板验收 ··· (23)
7.3 前、后梁安装 ··· (24)
7.4 前、后梁验收 ··· (24)
7.5 张力柱安装 ··· (25)
7.6 张力柱验收 ··· (25)
7.7 挤压梁安装 ··· (26)
7.8 挤压梁验收 ··· (26)
7.9 穿孔梁安装 ··· (27)
7.10 穿孔梁验收 ·· (27)
7.11 挤压筒安装 ·· (28)
7.12 挤压筒验收 ·· (28)
7.13 机械手安装 ·· (29)
7.14 机械手验收 ·· (29)

7.15 主液压缸安装 …………………………………………（29）
7.16 主液压缸验收 …………………………………………（29）
7.17 玻璃粉润滑台安装 ……………………………………（30）
7.18 玻璃粉润滑台验收 ……………………………………（30）
7.19 挤压机试运转 …………………………………………（30）

8 挤压线辅助设备 ……………………………………………（31）
 8.1 上料与管坯清洗装置安装 ……………………………（31）
 8.2 上料与管坯清洗装置验收 ……………………………（31）
 8.3 运输辊道安装 …………………………………………（32）
 8.4 运输辊道验收 …………………………………………（32）
 8.5 感应加热炉安装 ………………………………………（36）
 8.6 感应加热炉验收 ………………………………………（36）
 8.7 高压除鳞装置安装 ……………………………………（37）
 8.8 高压除鳞装置验收 ……………………………………（37）
 8.9 淬水槽安装 ……………………………………………（38）
 8.10 淬水槽验收 ……………………………………………（38）
 8.11 链式冷床安装 …………………………………………（39）
 8.12 链式冷床验收 …………………………………………（39）
 8.13 挤压线辅助设备试运转 ………………………………（40）

9 环形加热炉 …………………………………………………（42）
 9.1 炉体钢结构安装 ………………………………………（42）
 9.2 炉体钢结构验收 ………………………………………（42）
 9.3 入出炉辊道安装 ………………………………………（42）
 9.4 入出炉辊道验收 ………………………………………（43）
 9.5 支撑辊、导向辊安装 …………………………………（43）
 9.6 支撑辊、导向辊验收 …………………………………（43）
 9.7 旋转钢平台安装 ………………………………………（43）
 9.8 旋转钢平台验收 ………………………………………（44）
 9.9 台车安装 ………………………………………………（44）

9.10 台车验收 …………………………………………………（44）
9.11 炉壳安装 …………………………………………………（45）
9.12 炉壳验收 …………………………………………………（45）
9.13 炉门及提升装置安装 ……………………………………（45）
9.14 炉门及提升装置验收 ……………………………………（45）
9.15 试运转 ……………………………………………………（46）
10 精整线设备 …………………………………………………（47）
 10.1 压力矫直机安装 …………………………………………（47）
 10.2 压力矫直机验收 …………………………………………（47）
 10.3 斜辊式矫直机安装 ………………………………………（48）
 10.4 斜辊式矫直机验收 ………………………………………（48）
 10.5 切管带锯机安装 …………………………………………（49）
 10.6 切管带锯机验收 …………………………………………（49）
 10.7 喷丸机安装 ………………………………………………（50）
 10.8 喷丸机验收 ………………………………………………（50）
 10.9 周期冷轧管机安装 ………………………………………（51）
 10.10 周期冷轧管机验收 ……………………………………（51）
 10.11 测长称重标记装置安装 ………………………………（53）
 10.12 测长称重标记装置验收 ………………………………（53）
 10.13 超声波探伤装置安装 …………………………………（53）
 10.14 超声波探伤装置验收 …………………………………（54）
 10.15 涡流探伤装置安装 ……………………………………（54）
 10.16 涡流探伤装置验收 ……………………………………（54）
 10.17 钢管外表面抛光机安装 ………………………………（55）
 10.18 钢管外表面抛光机验收 ………………………………（55）
 10.19 固溶辊底式热处理炉安装 ……………………………（56）
 10.20 固溶辊底式热处理炉验收 ……………………………（56）
 10.21 精整线设备试运转 ……………………………………（57）
11 安全及环保 …………………………………………………（58）

11.1	安全	(58)
11.2	环保	(59)
附录 A	挤压钢管工程设备安装分部分项工程划分表	(60)
附录 B	挤压钢管工程设备安装分项工程质量验收记录	(61)
附录 C	挤压钢管工程设备安装分部工程质量验收记录	(62)
附录 D	挤压钢管工程设备安装单位工程质量验收记录	(63)
附录 E	挤压钢管工程设备无负荷试运转记录	(66)
本规范用词说明		(67)
引用标准名录		(68)
附:条文说明		(69)

Contents

1 General provisions ……………………………………… (1)
2 Basic requirements …………………………………… (2)
3 Equipment foundation, anchor bolt and base plate …………………………………………………… (5)
　3.1 Equipment foundation construction ………………… (5)
　3.2 Inspection and acceptance of equipment foundation ……… (5)
　3.3 Erection of anchor bolts ……………………………… (6)
　3.4 Inspection and acceptance of anchor bolts …………… (7)
　3.5 Erection of base plates ……………………………… (7)
　3.6 Inspection and acceptance of base plates …………… (8)
4 Equipment and materials mobilization ………………… (9)
　4.1 General requirements ………………………………… (9)
　4.2 Inspection and acceptance of equipment and materials …… (9)
5 Pipe billet preparation section equipment ……………… (10)
　5.1 Installation of short/long band sawing machine ……… (10)
　5.2 Inspection and acceptance of short/long band sawing machine …………………………………………… (10)
　5.3 Installation of peeler ………………………………… (11)
　5.4 Inspection and acceptance of peeler ………………… (11)
　5.5 Installation of facing machine ……………………… (11)
　5.6 Inspection and acceptance of facing machine ………… (12)
　5.7 Installation of center hole drilling machine ………… (12)
　5.8 Inspection and acceptance of center hole drilling machine …… (13)
　5.9 Installation of deep hole drilling machine …………… (13)

5.10	Inspection and acceptance of deep hole drilling machine	(14)
5.11	Test running of pipe billet preparation section equipment	(14)
6	Punching/expanding press	(16)
6.1	Installation of base	(16)
6.2	Inspection and acceptance of base	(16)
6.3	Installation of machine frame	(17)
6.4	Inspection and acceptance of machine frame	(18)
6.5	Installation of upsetting beam/piercing beam	(20)
6.6	Inspection and acceptance of upsetting beam/piercing beam	(20)
6.7	Installation of expanding container	(20)
6.8	Inspection and acceptance of expanding container	(21)
6.9	Installation of manipulator	(21)
6.10	Inspection and acceptance of manipulator	(21)
6.11	Installation of glass powder lubrication table	(22)
6.12	Inspection and acceptance of glass powder lubrication table	(22)
6.13	Test running of punching/expanding press	(22)
7	Extrusion press	(23)
7.1	Installation of base board	(23)
7.2	Inspection and acceptance of base board	(23)
7.3	Installation of front and back beams	(24)
7.4	Inspection and acceptance of front and back beams	(24)
7.5	Installation of tension column	(25)
7.6	Inspection and acceptance of tension olumn	(25)
7.7	Installation of extrusion beam	(26)
7.8	Inspection and acceptance of extrusion beam	(26)
7.9	Installation of piercing beam	(27)

7.10	Inspection and acceptance of piercing beam	(27)
7.11	Installation of extrusion container	(28)
7.12	Inspection and acceptance of extrusion container	(28)
7.13	Installation of manipulator	(29)
7.14	Inspection and acceptance of manipulator	(29)
7.15	Installation of main hydraulic cylinder	(29)
7.16	Inspection and acceptance of main hydraulic cylinder	(29)
7.17	Installation of glass powder lubrication table	(30)
7.18	Inspection and acceptance of glass powder lubrication table	(30)
7.19	Test running of extrusion press	(30)
8	Auxiliary equipment of extrusion line	(31)
8.1	Installation of loading and pipe billet cleaning units	(31)
8.2	Inspection and acceptance of loading and pipe billet cleaning units	(31)
8.3	Installation of conveying roller table	(32)
8.4	Inspection and acceptance of conveying roller table	(32)
8.5	Installation of induction heating furnace	(36)
8.6	Inspection and acceptance of induction heating furnace	(36)
8.7	Installation of hijh-pressure descaling unit	(37)
8.8	Inspection and acceptance of high-pressure descaling unit	(37)
8.9	Installation of quenching tank	(38)
8.10	Inspection and acceptance of quenching tank	(38)
8.11	Installation of chain type cooling bed	(39)
8.12	Inspection and acceptance of chain type cooling bed	(39)
8.13	Test running of auxiliary equipment of extrusion line	(40)
9	Annular furnace	(42)
9.1	Installation of furnace steel structure	(42)
9.2	Inspection and acceptance of furnace steel structure	(42)

9.3	Installation of feeding and tapping roller table	(42)
9.4	Inspection and acceptance of feeding and tapping roller table	(43)
9.5	Installation of backup rollers and guide rollers	(43)
9.6	Inspection and acceptance of backup rollers and guide rollers	(43)
9.7	Erection of rotating steel platform	(43)
9.8	Inspection and acceptance of rotating steel platform	(44)
9.9	Installation of trolley	(44)
9.10	Inspection and acceptance of trolley	(44)
9.11	Erection of furnace shell	(45)
9.12	Inspection and acceptance of furnace shell	(45)
9.13	Installation of furnace door and lifting units	(45)
9.14	Inspection and acceptance of furnace door and lifting units	(45)
9.15	Test running of annular heating furnace	(46)
10	Finishing equipment	(47)
10.1	Installation of pressure straightener	(47)
10.2	Inspection and acceptance of pressure straightener	(47)
10.3	Installation of inclined roller straightener	(48)
10.4	Inspection and acceptance of inclined roller straightener	(48)
10.5	Installation of pipe cutting band sawing machine	(49)
10.6	Inspection and acceptance of pipe cutting band sawing machine	(49)
10.7	Installation of shotblasting machine	(50)
10.8	Inspection and acceptance of shotblasting machine	(50)
10.9	Installation of cold pilgrim mill	(51)
10.10	Inspection and acceptance of cold pilgrim mill	(51)

10.11	Installation of measuring and weighing marking device	(53)
10.12	Inspection and acceptance of measuring and weighing marking device	(53)
10.13	Installation of ultrasonic flaw-detecting device	(53)
10.14	Inspection and acceptance of ultrasonic flaw-detecting device	(54)
10.15	Installation of eddy flaw-detecting device	(54)
10.16	Inspection and acceptance of eddy flaw-detecting device	(54)
10.17	Installation of steel pipe exterior surface polisher	(55)
10.18	Inspection and acceptance of steel pipe exterior surface polisher	(55)
10.19	Installation of roller-hearth solution heat treatment furnace	(56)
10.20	Inspection and acceptance of roller-hearth solution heat treatment furnace	(56)
10.21	Test running of finishing equipment	(57)
11	Safety and environmental protection	(58)
11.1	Safety	(58)
11.2	Environmental protection	(59)
Appendix A	Classification table of subproject and subdivisional work for extrusion steel pipe production line engineering equipment installation	(60)
Appendix B	Quality acceptance record for sub-divisional work of extrusion steel pipe production line engineering equipment installation	(61)
Appendix C	Quality acceptance record for subproject of extrusion steel pipe production line engineering equipment installation	(62)

Appendix D Quality acceptance record for unit work of extrusion steel pipe production line engineering equipment installation .... (63)

Appendix E Non-load running record for extrusion steel pipe production line engineering equipment .... (66)

Explanation of wording in this code .... (67)

List of quoted standards .... (68)

Addition: Explanation of provisions .... (69)

1 总 则

1.0.1 为提高挤压钢管工程设备安装水平,加强施工过程质量控制,保证施工质量,实现安全环保,技术先进,制定本规范。

1.0.2 本规范适用于挤压钢管工程设备安装及质量验收。

1.0.3 挤压钢管工程设备安装与验收除应符合本规范外,尚应符合国家现行有关标准的规定。

2 基本规定

2.0.1 施工现场应有相应的施工技术标准、质量管理体系、质量控制及检验制度、施工组织设计、施工方案作业文件。

2.0.2 采用的工程技术文件、承包合同中对安装质量的要求应符合本规范的规定。

2.0.3 施工图纸变更应有设计单位签署的文件。

2.0.4 质量检查和验收使用的计量器具,应校准合格,并应在有效期内使用。

2.0.5 设备安装前,设备基础应验收合格,相关厂房应具备设备安装条件,现场应具备水源、电源、作业平面和作业空间,运输道路应畅通。

2.0.6 设备安装应设置中心基准线和基准点,埋设永久性中心标板和标高基准点,并应定期复测永久性中心标板和标高基准点。

2.0.7 设备安装应按规定的程序进行,每道工序完成后,应进行检查验收,并应形成记录。未经检验的不得进行下道工序施工。

2.0.8 设备二次灌浆及其他隐蔽工程,在隐蔽前应进行验收,并应形成文件。

2.0.9 设备的安全保护设施必须齐全、可靠,限位开关动作应准确无误。

2.0.10 设备试运转前,设备安装应验收合格。

2.0.11 设备安装质量验收应在施工单位自检基础上,按照分项工程、分部工程、单位工程进行。分部及分项工程划分宜执行本规范附录 A 的规定。

2.0.12 分项工程质量验收合格应符合下列规定:

    1 主控项目检验应符合本规范质量标准要求;

2 一般项目检验结果,机械设备应全部符合本规范质量标准要求;

3 质量验收记录及质量合格证明文件应完整。

2.0.13 分部工程质量验收合格应符合下列规定:

1 分部工程所含分项工程质量均应验收合格;

2 质量控制资料应完整;

3 设备单体无负荷试运转应合格。

2.0.14 单位工程质量验收合格应符合下列规定:

1 单位工程所含分部工程质量均应验收合格;

2 质量控制资料应完整;

3 设备无负荷联动试运转应合格;

4 观感质量验收应合格。

2.0.15 单位工程观感质量检查项目应符合下列规定,各项随机抽查不应少于10处:

1 连接螺栓的螺栓、螺母和垫圈配置应齐全,紧固后螺栓应露出螺母2扣~3扣,外露螺纹应无损伤,螺栓拧入方向除构造原因外应一致;

2 密封面不应漏油、漏气、漏水;

3 管道布置应合理,排列应整齐,固定应牢固;

4 隔声和隔热材料应层厚均匀,绑扎牢固,表面平整;

5 油漆涂刷应涂层均匀,无漏涂,无脱皮,无皱皮和气泡,色泽一致;

6 走台、梯子、栏杆应固定牢固,无外观缺陷;

7 焊缝应焊波均匀,焊渣和飞溅物清理干净;

8 切口处应无熔渣;

9 成品设备应无缺损,裸露加工面应保护良好;

10 施工现场应管理有序,设备周围无杂物。

2.0.16 当检验项目的质量不符合相应专业质量验收规范的规定,应返工后对检验项重新进行质量验收。达到设计要求的检验项目,应判定为验收通过。

2.0.17 工程质量不符合要求,且经处理或返工后仍不能满足质量和安全使用要求的工程严禁签署验收合格。

2.0.18 质量验收程序应符合下列规定:

  1 分项工程应由监理工程师或建设单位项目技术负责人组织施工单位项目专业技术负责人、质量检查员等进行验收;

  2 分部工程应由总监理工程师或建设单位项目负责人组织施工单位项目负责人和技术、质量负责人等进行验收;

  3 单位工程完工后,施工单位应组织检查评定,并应向建设单位提交工程验收报告;

  4 应由建设单位项目负责人组织施工、设计、监理等单位项目负责人进行单位工程验收;

  5 总包单位应对工程质量全面负责,参与分包单位对所分包的工程项目的检查评定,并按本规范规定的程序进行验收。分包单位在完成分包工程后,应将工程有关资料交总包单位。

2.0.19 设备安装质量验收记录应符合下列规定:

  1 分项工程质量验收记录应按本规范附录B的要求填写;

  2 分部工程质量验收记录应按本规范附录C的要求填写;

  3 单位工程质量验收记录应按本规范附录D的要求填写;

  4 设备无负荷试运转记录应按本规范附录E的要求填写。

3 设备基础、地脚螺栓和垫板

3.1 设备基础施工

3.1.1 设备基础质量应符合现行国家标准《混凝土结构工程施工质量验收规范》GB 50204 的有关规定。

3.1.2 设备安装前应进行基础检查验收，未经验收合格的基础，不得进行设备安装。

3.1.3 基础混凝土强度等级应符合设计要求。

3.1.4 基础外形尺寸、地脚螺栓中心和标高、地脚螺栓预留孔及T型螺栓预埋件的中心线、标高及几何尺寸，应符合设计文件和现行国家标准《机械设备安装工程施工及验收通用规范》GB 50231 的有关规定。

3.1.5 基础表面的模板、地脚螺栓固定架、外露钢筋等应全部拆除，基础表面和地脚螺栓孔内的浮浆、油污、碎石、泥土、积水等杂物，应清除干净。

3.1.6 基础验收的资料应完整，并应经质量检查部门和工程监理部门的签署。

3.1.7 设备安装前，应根据设备工艺布置图和测量控制网绘制基准线和基准点布置图，确定中心标板和基准点的位置。连续生产线主轴中心线和主体设备应埋设永久性中心标板和基准点。

3.1.8 需要做沉降观测的设备基础，应交接沉降观测记录和沉降观测点，在设备安装过程中应继续进行沉降观测并形成记录。

3.2 设备基础验收

Ⅰ 主控项目

3.2.1 设备基础强度应符合设计要求。

检查数量：全数检查。

检验方法：检查基础交接资料。

3.2.2 机组设备基础中心线和标高基准点应符合设计要求。

检查数量：全数检查。

检验方法：检查测量成果表，观察检查。

Ⅱ 一般项目

3.2.3 设备基础轴线位置、标高、尺寸和地脚螺栓位置应符合设计要求或现行国家标准《机械设备安装工程施工及验收通用规范》GB 50231 的有关规定。设备基础预埋垫板的位置、标高、尺寸应符合设计要求。

检查数量：全数检查。

检验方法：检查复查记录。

3.2.4 设备基础表面和地脚螺栓预留孔中的油污、碎石、泥土、积水等均应清除干净。预埋地脚螺栓的螺纹和螺母应涂油保护完好。

检查数量：全数检查。

检验方法：观察检查。

3.3 地脚螺栓安装

3.3.1 地脚螺栓螺纹部分应涂油，并应进行保护。

3.3.2 预留孔地脚螺栓安装应符合下列规定：

1 预留孔应清理干净，并应检查预留孔尺寸和深度；

2 地脚螺栓的油污和氧化皮应清除，螺纹部分应涂适量油脂；

3 检查地脚螺栓直径、长度、螺纹长度等应符合设计要求；

4 地脚螺栓安装应垂直，四周距孔壁尺寸应大于15mm，且不应碰孔底，设备初步找平找正后，地脚螺栓与设备螺栓孔周围应有间隙；

5 设备一次、二次灌浆时应对设备表面、成品地面或墙面保护；

6 预留孔混凝土强度达到设计要求后,设备可进行精密调整和紧固地脚螺栓。

3.3.3 锚固板地脚螺栓安装应符合下列规定:

1 T形地脚螺栓的直径、长度、标记、锤头尺寸、锤头与螺杆的连接形式及防腐应符合设计要求;

2 设备二次灌浆前,应按设计要求在螺栓套筒内填塞充填物封闭套筒口;

3 根据紧固力要求和现场工作环境,选择合适的方法和工具紧固地脚螺栓,紧固力应符合设计要求。

3.4 地脚螺栓验收

Ⅰ 主控项目

3.4.1 地脚螺栓的规格和紧固力矩应符合设计要求。

检查数量:抽查20%,且不少于4个。

检验方法:检查质量合格证明文件、尺量,检查紧固记录。

Ⅱ 一般项目

3.4.2 地脚螺栓应无油污和氧化皮,螺纹部分应涂油脂。

检查数量:全数检查。

检验方法:观察检查。

3.4.3 预留孔地脚螺栓应垂直,螺栓与预留孔壁的间距不得小于15mm,且不应触碰孔底。

检查数量:全数检查。

检验方法:观察检查。

3.5 垫板安装

3.5.1 垫板尺寸和设置应符合设计文件规定。设计无规定时,应符合现行国家标准《机械设备安装工程施工及验收通用规范》GB 50231的有关规定。

3.5.2 施工前应根据设备布置图、设备基础螺栓布置图及设备底座外形尺寸绘制座浆垫板布置图。

3.5.3 每个地脚螺栓的旁边应至少设置一组垫板。垫板组应靠近地脚螺栓和设备主要受力部位。

3.5.4 垫板尺寸和数量应根据设备负荷、基础螺栓紧固力和混凝土抗压强度等确定。

3.5.5 座浆法安装垫板应符合下列规定：
  1 大型平垫板加工时，中间应设计排气孔；
  2 设备安装前座浆混凝土的强度应达到基础混凝土的设计强度；
  3 座浆施工时原材料应计量，同时应制作强度试验试块。

3.6 垫板验收

Ⅰ 主控项目

3.6.1 座浆法设置垫板时，座浆混凝土的48h强度应达到基础混凝土的设计强度。

检查数量：逐批检查。

检验方法：检查座浆试块强度试验报告。

Ⅱ 一般项目

3.6.2 设备垫板设置应符合设计文件规定。设计无规定时，应符合现行国家标准《机械设备安装工程施工及验收通用规范》GB 50231的有关规定。

检查数量：抽查20%，且不少于4个。

检验方法：观察检查、尺量、塞尺检查、用锤轻击垫板。

3.6.3 座浆垫板允许偏差应符合表3.6.3的规定：

表3.6.3 座浆垫板允许偏差

项次	项　　目	允许偏差(mm)	检验方法
1	座浆垫板标高	0～-1	用水准仪检查
2	座浆垫板水平度	0.3/1000	用水平仪检查

检查数量：全数检查。

检验方法：应符合表3.6.3的相关规定。

4 设备及材料进场

4.1 一般规定

4.1.1 施工单位应编制设备及材料进场计划。

4.1.2 设备安装前,应进行开箱检查,设备开箱后应妥善保护。

4.1.3 设备开箱检验应符合下列规定:

1 设备开箱检验应形成检验记录,应办理设备交接手续;

2 设备开箱检验应按装箱单清点设备数量,按设计文件核对设备型号、规格;

3 检查设备表面质量应无缺损、无变形、无锈蚀,对于有缺陷的应及时记录;

4 设备随机资料应妥善保存或移交业主方,应办理移交手续。

4.1.4 设备搬运和吊装时,吊装点应在设备或包装箱标识位置,应有保护措施。

4.1.5 材料进场后应及时建账入库,放置整齐,并有标识和防损伤措施。

4.1.6 设备及材料应设专人管理,使用前应做好报验工作。

4.2 设备及材料验收

4.2.1 设备型号、规格、数量应符合设计要求。

检查数量:全数检查。

检验方法:检查设备质量合格证明文件,观察检查。

4.2.2 材料进场应进行检验,型号、规格、数量应符合设计要求并形成检验记录。

检查数量:质量合格证明文件全数检查,实物抽查1%,且不少于5件。设计文件有复验要求的,应按规定进行复验。

检验方法:检查质量合格证明文件、复验报告及验收记录,外观检查或实测。

5 管坯准备段设备

5.1 短(长)尺带锯机安装

5.1.1 调整前应清洗导轨面上的防锈油脂。
5.1.2 带锯机宜先安装带锯机床身,然后安装送(接)料架。
5.1.3 标高的调整应以床身导轨面为基准。
5.1.4 纵、横向中心的调整应以床身中心线为基准。
5.1.5 水平度的调整应以床身导轨面为基准。

5.2 短(长)尺带锯机验收

Ⅰ 一 般 项 目

5.2.1 传动装置安装和联轴器装配应符合现行国家标准《机械设备安装工程施工及验收通用规范》GB 50231 的有关规定。

检查数量:全数检查。

检验方法:检查安装质量记录,用百分表和塞尺检查。

5.2.2 短(长)尺带锯机安装允许偏差应符合表 5.2.2 的规定:

表 5.2.2 短(长)尺带锯机安装允许偏差

项次	项 目		允许偏差(mm)	检 验 方 法
1	标高		±1.0	用水准仪检查
2	床身纵、横向中心		1.0	拉钢丝线、吊线锤,用钢直尺检查
3	送(接)料架与床身中心的偏移		1.0	拉钢丝线、吊线锤,用钢直尺检查
4	水平度	纵向	0.05/1000	用水平仪检查
		横向	0.05/1000	

检查数量:全数检查。

检验方法:应符合表 5.2.2 的相关规定。

5.3 剥皮机安装

5.3.1 调整前应清洗导轨面上的防锈油脂。
5.3.2 安装用垫铁宜采用可调整垫铁。
5.3.3 标高的调整应以床身导轨面为基准。
5.3.4 纵、横向中心的调整应以机组中心线为基准。
5.3.5 水平度的调整应以床身导轨面为基准。
5.3.6 设备试运转合格,应复查设备安装精度后进行二次灌浆。
5.3.7 安装用可调整垫铁应用混凝土灌牢,混凝土不得灌入其活动部分。

5.4 剥皮机验收

Ⅰ 一般项目

5.4.1 传动装置安装和联轴器装配应符合现行国家标准《机械设备安装工程施工及验收通用规范》GB 50231 的有关规定。

检查数量:全数检查。
检验方法:检查安装质量记录,用百分表和塞尺检查。

5.4.2 剥皮机安装允许偏差应符合表 5.4.2 的规定:

表 5.4.2 剥皮机安装允许偏差

项次	项 目		允许偏差（mm）	检验方法
1	标高		±1.0	用水准仪检查
2	纵、横向中心		1.0	拉钢丝线、吊线锤,用钢直尺检查
3	水平度	纵向	0.05/1000	用水平仪检查
		横向	0.05/1000	

检查数量:全数检查。
检验方法:应符合表 5.4.2 的相关规定。

5.5 端面加工机安装

5.5.1 调整前应清洗导轨面上的防锈油脂。

5.5.2 安装用垫铁宜采用可调整垫铁。
5.5.3 标高的调整应以床身导轨面为基准。
5.5.4 纵、横向中心的调整应以机组中心线为基准。
5.5.5 水平度的调整应以床身导轨面为基准。
5.5.6 设备试运转合格,应复查设备安装精度后进行二次灌浆。
5.5.7 安装用可调整垫铁应用混凝土灌牢,混凝土不得灌入其活动部分。

5.6 端面加工机验收

Ⅰ 一般项目

5.6.1 传动装置安装和联轴器装配应符合现行国家标准《机械设备安装工程施工及验收通用规范》GB 50231 的有关规定。

检查数量:全数检查。

检验方法:检查安装质量记录,用百分表和塞尺检查。

5.6.2 端面加工机安装允许偏差应符合表 5.6.2 的规定:

表 5.6.2 端面加工机安装允许偏差

项次	项 目		允许偏差 (mm)	检验方法
1	标高		±2.0	用水准仪检查
2	纵、横向中心		1.0	拉钢丝线、吊线锤,用钢直尺检查
3	导轨水平度	纵向	0.05/1000	用水平仪检查
		横向	0.05/1000	

检查数量:全数检查。

检验方法:应符合表 5.6.2 的相关规定。

5.7 定心孔钻床安装

5.7.1 调整前应清洗导轨面上的防锈油脂。
5.7.2 宜先安装定心孔钻床主机,然后安装送料料架。
5.7.3 标高的调整应以床身导轨面为基准。

5.7.4 纵、横向中心的调整应以床身中心为基准。
5.7.5 水平度的调整应以床身导轨面为基准。
5.7.6 导轨水平度应采用专用工具和水平仪进行检查。

5.8 定心孔钻床验收

Ⅰ 一般项目

5.8.1 传动装置安装和联轴器装配应符合现行国家标准《机械设备安装工程施工及验收通用规范》GB 50231 的有关规定。

检查数量：全数检查。

检验方法：检查安装质量记录，用百分表和塞尺检查。

5.8.2 定心孔钻安装允许偏差应符合表 5.8.2 的规定：

表 5.8.2 定心孔钻床安装允许偏差

项次	项 目		允许偏差（mm）	检验方法
1	标高		±1.0	用水准仪检查
2	纵、横向中心		1.0	拉钢丝线、吊线锤，用钢直尺检查
3	定心孔主机中心与床身中心的偏移		1.0	拉钢丝线、吊线锤，用钢直尺检查
4	导轨水平度	纵向	0.05/1000	用水平仪检查
		横向	0.05/1000	

检查数量：全数检查。

检验方法：应符合表 5.8.2 的相关规定。

5.9 长深孔钻床安装

5.9.1 调整前应清洗导轨面上的防锈油脂。
5.9.2 安装用垫铁宜采用可调整垫铁。
5.9.3 纵、横向中心的调整应以床身中心为基准。
5.9.4 标高的调整应以床身导轨面为基准。
5.9.5 水平度的调整应以床身导轨面为基准。
5.9.6 设备试运转合格，应复查设备安装精度后进行二次灌浆。

5.9.7 安装用可调整垫铁应用混凝土灌牢,混凝土不得灌入其活动部分。

5.10 长深孔钻床验收

Ⅰ 一 般 项 目

5.10.1 传动装置安装和联轴器装配应符合现行国家标准《机械设备安装工程施工及验收通用规范》GB 50231 的有关规定。

检查数量:全数检查。

检验方法:检查安装质量记录,用百分表和塞尺检查。

5.10.2 长深孔钻床安装允许偏差应符合表5.10.2的规定:

表 5.10.2 长深孔钻床安装允许偏差

序号	名　　称		允许偏差(mm)	检 验 方 法
1	标高		±1.0	用水准仪检查
2	纵、横向中心		1.0	拉钢丝线、吊线锤,用钢直尺检查
3	拖板用导轨的水平度	纵向	0.05/1000	用水平仪检查
		横向	0.05/1000	

检查数量:全数检查。

检验方法:应符合表5.10.2的相关规定。

5.11 管坯准备段设备试运转

5.11.1 试运转应符合下列要求:

1 施工单位编制的试运转方案应经总监理工程师或建设单位项目负责人审批。

2 设备及附属装置、管路等均应安装完毕,质量记录及资料齐全。

3 液压、润滑、气动、电气等系统调试应检验完毕,并应符合试运转要求。

4 试运转所需要的材料、工机具、检测仪器应满足试运转要求。

    5 试运转的设备、进出口管道及周围环境应清理干净,周围不得有粉尘、噪声、振动作业。

    6 单体设备试运转时间或次数,无特殊要求时,应符合下列规定:

        1)连续运转设备不间断运转时间不应少于 2h;
        2)往复运转的设备在全程或回转范围内往复动作不应少于 5 次。

    7 设备试运转轴承温度无特殊要求时应符合下列规定:

        1)滚动轴承正常运转时,轴承温升不得超过 40℃,且最高温度不得超过 80℃;
        2)滑动轴承正常运转时,轴承温升不得超过 35℃,且最高温度不得超过 70℃。

5.11.2 带锯机的送料架至床身的辊道运行应平稳,进出料自如,应重复运转 3 次无异常。

5.11.3 剥皮机和端面加工机的拖板及刀架、溜板箱纵向移动应平稳,无爬行现象,刀架最大横向行程以及上刀架最大行程应满足技术要求。

5.11.4 定心孔钻床试运转应符合下列规定:

    1 动力头上下升降总行程应符合设计文件规定;
    2 动力头前后进各档位总行程、滑台工进速度、快进速度应符合设计文件要求。

5.11.5 长深孔钻床托板移动应平稳,无爬行现象。

6 穿(扩)孔机

6.1 底座安装

6.1.1 底座安装前应按本规范第 3.2 节要求进行基础检查和验收。

6.1.2 底座底面的防锈油及油污应在安装前进行清除。

6.1.3 标高的调整应以底座上平面为基准。

6.1.4 纵、横向中心的调整应以基础中心线为基准。

6.1.5 分体式底座的水平度的调整应在纵横及对角线方向进行。

6.1.6 地脚螺栓的紧固宜采用液压扳手进行紧固。

6.2 底座验收

Ⅰ 主控项目

6.2.1 底座螺栓紧固力矩应符合技术文件要求。

Ⅱ 一般项目

6.2.2 底座安装允许偏差应符合表 6.2.2 的规定。

表 6.2.2 底座安装允许偏差

项次	项 目	允许偏差(mm)	检验方法
1	标高	±0.5	用水准仪检查
2	底座相对高差	0.1	用水准仪检查
3	纵横中心	0.5	拉钢丝线、吊线锤,用钢直尺检查
4	相对底座平行度	0.1	用平尺、内径千分尺检查
5	水平度	0.05/1000	用水平仪检查

检查数量:全数检查。

检验方法:应符合表 6.2.2 的相关规定。

6.2.3 底座验收测量方法应按图 6.2.3 所示。

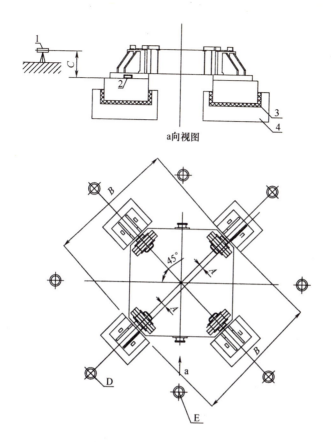

图 6.2.3 底座测量方法图
1—精密水准仪;2—水平仪;3—化学黏结剂;4—穿扩孔机基础
A—中心线测定;B—相对底座平行度;C—标高测定;
D—辅助中心标板;E—穿扩孔机中心

6.3 机架安装

6.3.1 机架应在底座灌浆材料达到设计强度后进行安装。

6.3.2 机架宜采用整体吊装方式安装就位。

6.3.3 机架立柱底板应与底座接触紧密,用 0.05mm 塞尺进行检查,四周 75％不入。

6.3.4 机架立柱垂直度的检查应在上、中、下三个部位进行。

6.3.5 机架吊装就位后应检查导轨滑板与机架窗口接触面,接触面积应大于 75％。

6.4 机架验收

Ⅰ 主控项目

6.4.1 机架固定螺栓的紧固力矩应符合设计文件的规定。

检查数量:全数检查。

检验方法:检查螺栓紧固记录。

6.4.2 机架立柱的预应力应符合设计文件的规定。

检查数量:全数检查。

检验方法:检查立柱的预应力张紧记录。

Ⅱ 一般项目

6.4.3 导轨滑板与机架螺栓的紧固力矩应符合设计文件的规定。

检查数量:全数检查。

检验方法:采用扭矩扳手。

6.4.4 机架安装允许偏差应符合表 6.4.4 的规定。

表 6.4.4 穿(扩)孔机机架安装允许偏差

项次	项 目	允许偏差(mm)	检 验 方 法
1	机架纵横中心	0.5	拉钢丝线、吊线锤,用钢直尺测量
2	机架垂直度	0.10/1000, 0.30/全长	吊线锤,用内径千分尺检查
3	导轨中心	0.5	拉钢丝线、吊线锤, 用内径千分尺检查
4	导轨间距	±0.5	用内径千分尺检查
5	导轨面垂直度	0.05/1000, 0.15/全长	吊线锤,用内径千分尺检查
6	机架与底梁的接触面间隙	四周 75％不入, 局部允许 0.1mm 间隙	用 0.05mm 塞尺检查

检查数量:全数检查。

检验方法:应符合表 6.4.4 的相关规定。

6.4.5 穿(扩)孔机主机架测量方法应按图 6.4.5 所示。

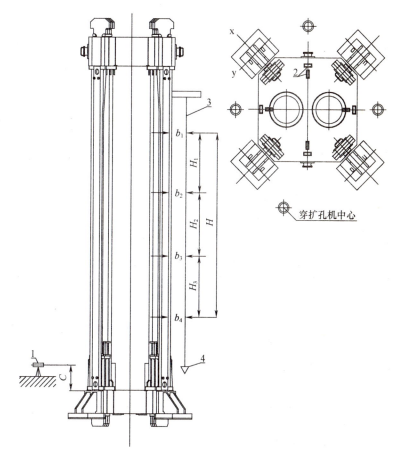

图 6.4.5 穿(扩)孔机主机架测量方法图
1—精密水准仪;2—水平仪;3—测量铅垂线;4—线锤
x、y—机架立柱 x、y 向面垂直度测量;
$H(H_1 \sim H_3$ 立柱全长平均 1/3 分段)—机架立柱垂直度测量范围及测量点间距
$b(b_1 \sim b_4$ 立柱全长平均 1/3 分段测点)—测量点垂直度测量

6.5 镦粗梁(穿孔梁)安装

6.5.1 镦粗梁(穿孔梁)的安装应从上往下进行,先安装镦粗梁,然后安装穿孔梁。

6.5.2 镦粗梁(穿孔梁)导套安装完后应检查其与机架立柱导轨间的配合间隙。

6.6 镦粗梁(穿孔梁)验收

Ⅰ 一般项目

6.6.1 镦粗梁(穿孔梁)导套与机架立柱导轨间的配合间隙应符合设计文件的规定。

检查数量:全数检查。

检验方法:用塞尺检查。

6.6.2 镦粗梁(穿孔梁)安装允许偏差应符合表6.6.2的规定。

表6.6.2 镦粗梁(穿孔梁)安装允许偏差

项次	项 目	允许偏差(mm)	检验方法
1	主柱塞伸出1/3～2/3行程的垂直度	0.05/1000	拉钢丝线、吊线锤,用内径千分尺检查
2	镦粗梁(穿孔梁)的垂直度	0.05/1000	拉钢丝线、吊线锤,用内径千分尺检查
3	液压缸法兰台肩与横梁的接触面间隙	四周75%不入,局部允许0.1mm间隙	用0.05mm塞尺检查

检查数量:全数检查。

检验方法:应符合表6.6.2的相关规定。

6.7 扩孔筒安装

6.7.1 扩孔筒应在镦粗梁(穿孔梁)安装完后进行安装。

6.7.2 扩孔筒水平度的调整应以设备上部加工面为基准。

6.7.3 扩孔筒与镦粗杆的同轴度应用内径千分尺检查。

6.8 扩孔筒验收

Ⅰ 一般项目

6.8.1 扩孔筒安装允许偏差应符合表6.8.1的规定。

表6.8.1 扩孔筒安装允许偏差

项次	项 目	允许偏差(mm)	检验方法
1	水平度	0.05/1000	用水平仪检查
2	扩孔筒与镦粗杆的同轴度	φ0.10	用内径千分尺检查

检查数量:全数检查。
检验方法:应符合表6.8.1的相关规定。

6.9 机械手安装

6.9.1 机械手应在镦粗梁(穿孔梁)及扩孔筒安装完后进行安装。
6.9.2 机械手摆入时钳口与扩孔筒的同轴度应用内径千分尺进行调整。

6.10 机械手验收

Ⅰ 一般项目

6.10.1 机械手安装允许偏差应符合表6.10.1的规定。

表6.10.1 机械手安装允许偏差

项次	项	目	允许偏差(mm)	检验方法
1	上料、出料机械手	小车轨道标高	±1.0	用水准仪检查
2		小车轨道中心	1.0	拉钢丝线、吊线锤,用钢直尺测量
3		小车轨道水平度	0.1/1000	用水平仪检查
4	机械手标高		±0.5	用水准仪检查
5	机械手中心		0.5	拉钢丝线、吊线锤,用钢直尺测量

续表 6.10.1

项次	项目	允许偏差(mm)	检验方法
6	机械手水平度	0.1/1000	用水平仪检查
7	机械手摆入时钳口与扩孔筒同轴度	φ0.20	用内径千分尺检查

检查数量：全数检查。

检验方法：应符合表 6.10.1 的相关规定。

6.11 玻璃粉润滑台安装

6.11.1 玻璃粉润滑台应在主体设备安装完后进行安装。

6.11.2 玻璃粉润滑台中心调整应以穿孔机主中心线为基准。

6.12 玻璃粉润滑台验收

Ⅰ 一般项目

6.12.1 玻璃粉润滑台安装允许偏差应符合表 6.12.1 的规定。

表 6.12.1 玻璃粉润滑台安装允许偏差

项次	项目	允许偏差(mm)	检验方法
1	标高	±1.0	用水准仪检查
2	中心	1.0	拉钢丝线、吊线锤，用钢直尺检查
3	水平度	0.2/1000	用水平仪检查

检查数量：全数检查。

检验方法：应符合表 6.12.1 的相关规定。

6.13 穿(扩)孔机试运转

6.13.1 试运转应符合本规范第 5.11.1 条的相关规定。

6.13.2 液压主泵制动装置动作应灵敏可靠。

6.13.3 穿(扩)孔机主油缸及辅助油缸、上料机械手、穿孔筒移动装置、穿孔杆更换小车及其他设备应运行 5 次～10 次，行程、速度、停止位置应符合设计要求。

6.13.4 各紧固件、连接件不得松动。

7 挤 压 机

7.1 底板安装

7.1.1 底座安装前应按本规范第 3.2 节要求进行基础检查和验收。

7.1.2 底座底面的防锈油及油污应在安装前进行清除。

7.1.3 标高的调整应以底座上平面为基准。

7.1.4 纵、横向中心的调整应以基础中心线为基准。

7.1.5 底座的水平度的调整应在纵横方向进行。

7.1.6 地脚螺栓的紧固宜采用液压扳手进行紧固。

7.2 底板验收

Ⅰ 主控项目

7.2.1 基础强度应符合设计文件规定。

7.2.2 底座螺栓紧固力矩应符合技术文件要求。

7.2.3 基础应定期进行沉降观测。

Ⅱ 一般项目

7.2.4 挤压机底座安装允许偏差应符合表 7.2.4 的规定。

表 7.2.4 底板安装允许偏差

项次	项 目	允许偏差(mm)	检 验 方 法
1	标高	±0.5	用水准仪检查
2	底座相对高差	0.10	用水准仪检查
3	纵横中心	0.5	拉钢丝线、吊线锤,用钢直尺检查
4	底板平行度	0.10	用激光测距仪检查
5	水平度	0.10/1000	用水平仪检查

检查数量:全数检查。
检验方法:应符合表 7.2.4 的相关规定。

7.3 前、后梁安装

7.3.1 前、后梁标高相对高差的调整应以设备上部加工面为基准。

7.3.2 前、后梁纵、横向中心的调整应以机组中心为基准。

7.3.3 前、后梁内端面的垂直度及水平度的调整应以设备加工面为基准。

7.4 前、后梁验收

Ⅰ 一般项目

7.4.1 挤压机前、后梁安装允许偏差应符合表 7.4.1 的规定。

表 7.4.1 前、后梁安装允许偏差

项次	项目	允许偏差(mm)	检验方法
1	标高	±0.5	用水准仪检查
2	前、后梁相对高差	0.1	用水准仪检查
3	纵、横向中心	0.5	拉钢丝线、吊线锤,用钢直尺检查
4	水平度	0.10/1000	用水平仪检查
5	前、后梁内端面的垂直度	0.05/1000	用框式水平仪检查
6	前、后梁与底板的接触面间隙	四周75%不入,局部允许0.1mm间隙	用0.05mm塞尺检查

检查数量:全数检查。
检验方法:应符合表 7.4.1 的相关规定。

7.4.2 前、后梁验收测量方法应按图 7.4.2 所示。

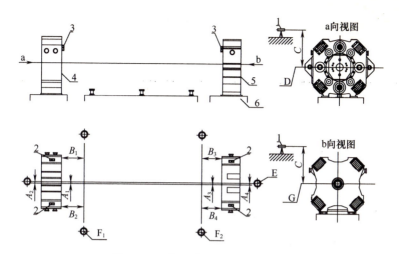

图 7.4.2 前、后梁安装测量方法图
1—精密水准仪;2—水平仪;3—框式水平仪;4—前梁;5—后梁;6—基础
$A_1\sim A_4$—前、后梁纵向中心线测定;$B_1\sim B_4$—前后梁平行度;C—标高测定;
D—主油缸中心;E—挤压机纵向中心;F_1—挤压机横向中心;
F_2—挤压机辅助横向中心;G—挤压机中心

7.5 张力柱安装

7.5.1 张力柱安装应在前、后梁安装校正完毕后进行。

7.5.2 张力柱安装应先安装下部张力柱,再安装上部张力柱。

7.5.3 张力柱与前后梁接触面间隙应进行检查。

7.6 张力柱验收

Ⅰ 主控项目

7.6.1 主机架张力柱的预应力应符合设计文件的规定。
　　检查数量:全数检查。
　　检验方法:用张力柱的预应力张紧专用工具进行检查。

Ⅱ 一般项目

7.6.2 挤压机张力柱安装允许偏差应符合表 7.6.2 的规定。

表 7.6.2 张力柱安装允许偏差

项次	项 目	允许偏差(mm)	检 验 方 法
1	标高	±0.5	用水准仪检查
2	导轨中心	0.5	拉钢丝线、吊线锤，用内径千分尺检查
3	导轨上平面水平度	0.05/1000，0.15/全长	用水平仪、水准仪检查
4	导轨面侧弯度	0.05/1000，0.15/全长	用水平仪、水准仪检查
5	导轨间距	±0.5	用内径千分尺检查
6	张力柱与前后梁接触面间隙	四周75%不入，局部允许0.1mm间隙	用0.05mm塞尺检查

检查数量：全数检查。

检验方法：应符合表7.6.2的相关规定。

7.7 挤压梁安装

7.7.1 挤压梁应在张力柱安装完成后进行安装。

7.7.2 液压缸法兰台肩与后梁的接触面间隙应进行检查。

7.8 挤压梁验收

Ⅰ 主控项目

7.8.1 液压缸与后梁、挤压梁连接螺栓的紧固力矩应符合设计文件的规定。

检查数量：全数检查。

检验方法：检查螺栓紧固记录。

Ⅱ 一般项目

7.8.2 挤压梁导轨与导套的配合间隙应符合设计文件的规定。

检查数量：全数检查。

检验方法：用塞尺检查。

7.8.3 挤压梁安装允许偏差应符合表7.8.3的规定。

表7.8.3 挤压梁安装允许偏差

项次	项目	允许偏差(mm)	检验方法
1	标高	±0.1	用水准仪检查
2	中心	0.1	拉钢丝线、吊线锤，用内径千分尺检查
3	水平度	0.05/1000	用水平仪检查
4	液压缸法兰台肩与后梁的接触面间隙	四周75%不入，局部允许0.1mm间隙	用0.05mm塞尺检查

检查数量：全数检查。
检验方法：应符合表7.8.3的相关规定。

7.9 穿孔梁安装

7.9.1 穿孔梁安装应在挤压梁安装完成后进行。

7.9.2 液压缸法兰台肩与后梁的接触面间隙应进行检查。

7.10 穿孔梁验收

Ⅰ 主控项目

7.10.1 液压缸与后梁、穿孔梁连接螺栓的紧固力矩应符合设计文件的规定。

检查数量：全数检查。
检验方法：检查螺栓紧固记录。

Ⅱ 一般项目

7.10.2 穿孔梁与导轨的配合间隙应符合设计文件的规定。

检查数量：全数检查。
检验方法：用塞尺检查。

7.10.3 穿孔梁安装允许偏差应符合表7.10.3的规定。

表7.10.3 穿孔梁安装允许偏差

项次	项目	允许偏差(mm)	检验方法
1	标高	±0.1	用水准仪检查

续表 7.10.3

项次	项 目	允许偏差(mm)	检 验 方 法
2	中心	0.1	拉钢丝线、吊线锤，用内径千分尺检查
3	穿孔梁水平度	0.05/1000	用水平仪检查
4	穿孔针水平度	0.05/1000	用水平仪检查
5	液压缸法兰台肩与后梁的接触面间隙	四周75%不入，局部允许0.1mm间隙	用0.05mm塞尺检查

检查数量：全数检查。

检验方法：应符合表7.10.3的相关规定。

7.11 挤压筒安装

7.11.1 挤压筒安装应在穿孔梁安装完成后进行。

7.11.2 挤压筒安装完后应检查挤压筒与挤压杆中心的同轴度。

7.11.3 挤压筒端面与前梁模支撑垫端面的间隙应进行检查。

7.11.4 挤压筒端面与前梁限程垫块接触面间隙应进行检查。

7.12 挤压筒验收

Ⅰ 一 般 项 目

7.12.1 挤压机挤压筒安装允许偏差应符合表7.12.1的规定。

表 7.12.1 挤压筒安装允许偏差

项次	项 目	允许偏差(mm)	检 验 方 法
1	挤压筒内孔水平度	0.05/1000	用水平仪检查
2	挤压筒与挤压杆中心同轴度	φ0.1	用内径千分尺检查
3	挤压筒端面与前梁模支撑垫端面的间隙	0.05	用0.05mm塞尺检查
4	挤压筒端面与前梁限程垫块接触面间隙	0.05	用0.05mm塞尺检查

检查数量：全数检查。

检验方法：应符合表7.12.1的相关规定。

7.13 机械手安装

7.13.1 机械手安装应在挤压梁、穿孔梁及扩孔筒安装完后进行。

7.13.2 机械手摆入时,钳口与挤压筒同轴度应进行检查。

7.14 机械手验收

Ⅰ 一般项目

7.14.1 机械手安装允许偏差应符合表7.14.1的规定。

表7.14.1 机械手安装允许偏差

项次	项 目	允许偏差(mm)	检验方法
1	标高	±0.5	用水准仪检查
2	中心	0.5	拉钢丝线、吊线锤,用钢尺测量
3	水平度	0.10/1000	用水平仪检查
4	钳口水平度	0.10/1000	用水平仪检查
5	机械手摆入时钳口与扩孔筒同轴度	φ0.2	用内径千分尺检查

检查数量:全数检查。

检验方法:应符合表7.14.1的相关规定。

7.15 主液压缸安装

7.15.1 主液压缸安装应在挤压梁、穿孔梁及挤压筒安装完后进行。

7.15.2 液压缸法兰面与后梁的接触面间隙应进行检查。

7.15.3 主柱塞相对于挤压机中心线的平行度应进行检查。

7.16 主液压缸验收

Ⅰ 主控项目

7.16.1 主液压缸与后梁连接螺栓的紧固力矩应符合设计文件的规定。

检查数量:全数检查。

检验方法:检查螺栓紧固记录。

Ⅱ 一 般 项 目

7.16.2 主液压缸安装允许偏差应符合表7.16.2的规定。

表7.16.2 主液压缸安装允许偏差

项次	项 目	允许偏差(mm)	检 验 方 法
1	主柱塞伸出1/3～2/3行程的水平度	0.05/1000	用水平仪检查
2	液压缸法兰面与后梁的接触面间隙	四周75%不入,局部允许0.1mm间隙	用0.05mm塞尺检查
3	主柱塞相对于挤压机中心的平行度	0.05/1000	拉钢丝线、吊线锤,用内径千分尺检查

检查数量:全数检查。

检验方法:应符合表7.16.2的相关规定。

7.17 玻璃粉润滑台安装

7.17.1 玻璃粉润滑台安装应按本规范第6.11节的规定执行。

7.18 玻璃粉润滑台验收

7.18.1 玻璃粉润滑台验收应按本规范第6.12节的规定执行。

7.19 挤压机试运转

7.19.1 试运转应符合本规范第5.11.1条的相关规定。

7.19.2 液压主泵制动装置动作应灵敏可靠。

7.19.3 挤压机主油缸及辅助油缸、上料机械手、模具更换装置、挤压垫余顶出及输送装置、挤压垫旋转(升降或顶送)装置及其他设备应运行5次～10次,行程、速度、停止位置应符合设计文件要求。

7.19.4 在运转中,传动部件应转动灵活、平稳,无异常振动和声响。

7.19.5 各紧固件、联动件不得松动。

8 挤压线辅助设备

8.1 上料与管坯清洗装置安装

8.1.1 上料与管坯清洗装置纵、横向中心调整应以辊道中心为基准。

8.1.2 输送辊道及冲洗箱、漂清箱、吹干箱安装校正完毕后应将设备底板与预埋板满焊。

8.2 上料与管坯清洗装置验收

Ⅰ 一般项目

8.2.1 管坯清洗装置清洗主机安装允许偏差应符合表 8.2.1 的规定。

表 8.2.1 管坯清洗装置清洗主机安装允许偏差

项次	项 目	允许偏差(mm)	检验方法
1	输送辊道纵、横向中心	1.0	拉钢丝线、吊线锤,用钢直尺检查
2	输送辊道标高	±1.0	用水准仪检查
3	相邻两辊子的平行度	0.30/1000	用内径千分尺检查
4	上、下料装置中心	1.0	拉钢丝线、吊线锤,用钢直尺检查
5	上、下料装置标高	±1.0	用水准仪检查
6	冲洗箱、漂清箱、吹干箱纵向中心	1.5	拉钢丝线、吊线锤,用钢直尺检查
7	冲洗箱、漂清箱、吹干箱标高	±1.0	用水准仪检查

检查数量:全数检查。

检验方法:应符合表 8.2.1 的相关规定。

8.3 运输辊道安装

8.3.1 集中传动辊道及单独传动辊道安装时应先安装校正机架,再安装校正辊子。

8.3.2 升降、移动和摆动辊道应在集中和单独传动辊道安装校正完毕后进行安装校正。

8.4 运输辊道验收

Ⅰ 一 般 项 目

8.4.1 联轴器装配时的两轴心径向位移、两轴线倾斜和联轴器的两端面间隙值应符合设计文件或现行国家标准《机械设备安装工程施工及验收通用规范》GB 50231 的有关规定。

检查数量:抽查 30%,且不少于 1 套。

检验方法:检查安装质量记录,用百分表和塞尺旋转测量。

8.4.2 解体安装的辊道现场组装时,机架接口、轴承座、横梁与机架的连接、传动齿轮的尺侧间隙、尺顶间隙、齿啮合接触面积和轴承装配及轴承轴向窜动量应符合设计文件的要求,若设计文件中没有要求,则应符合现行国家标准《机械设备安装工程施工及验收通用规范》GB 50231 的有关规定。

检查数量:抽查 30%,且不少于 1 台。

检验方法:检查安装质量记录,用着色法、压铅法、千分表和塞尺检查。

8.4.3 集中传动辊道安装允许偏差应符合表 8.4.3 的规定。

表 8.4.3 集中传动辊道安装允许偏差

项次	项 目		允许偏差(mm)	检 验 方 法
1	中心偏移	以机组中心线为基准	1.0	拉钢丝线、吊线锤,用钢直尺检查
		以已安装设备为基准	0.5	拉钢丝线、吊线锤,用钢直尺检查

续表 8.4.3

项次	项 目		允许偏差(mm)	检 验 方 法
2	标高	以机组中心线为基准	±0.50	用平尺、水平仪或水准仪检查
		以已安装设备为基准	±0.25	用平尺、水平仪或水准仪检查
3	机架对辊道纵向中心线的平行度		0.15/1000, 0.30/全长	拉钢丝线, 用内径千分尺检查
4	机架上面基准线点的对角线差		0.5	用钢板尺、衡力指示器检查
5	机架顶面水平度		0.15/1000	用平尺、水平仪检查
6	基准辊轴对机组纵向中心线的垂直度		0.10/1000	拉钢丝线,用摆杆、内径千分尺检查
7	相邻两辊子(含组与组间)的平行度		0.30/1000	用内径千分尺检查
8	辊子平行度累计误差		0.60/1000	吊线锤,用钢直尺检查
9	减速箱、分配箱水平度		0.15/1000	用水平仪检查

检查数量:全数检查。

检验方法:应符合表 8.4.3 的相关规定。

8.4.4 单独传动辊道安装允许偏差应符合表 8.4.4 的规定。

表 8.4.4 单独传动辊道安装允许偏差

项次	项 目		允许偏差(mm)	检 验 方 法
1	纵、横向中心	单独布置的辊道	1.0	拉钢丝线、吊线锤,用钢直尺检查
		与其他设备有机械衔接关系的辊道	1.0	
2	辊道机架	机架对辊道纵向中心线的平行度	0.20/1000	
		机架顶面标高	±1.0	用水准仪或平尺、内径千分尺检查
		机架顶面水平度	0.20/1000	用平尺、水平仪或水准仪检查

33

续表 8.4.4

项次	项 目		允许偏差(mm)	检验方法
3	辊子及传动装置	基准辊轴线对机组纵向中心线的垂直度	0.20/1000	拉钢丝线,用摆杆、内径千分尺检查
		相邻两辊子的平行度	0.40/1000	用内径千分尺检查
		辊子平行度累计误差	1.5/每组	吊线锤,用钢盘尺检查
		直辊面辊子水平度(轴向)	0.20/1000	用水平仪检查
		V型辊子水平度(端面)	0.30/1000	用水平仪检查
		辊子间辊面高度差	0.60	用平尺、水平仪、塞尺或水准仪检查
		传动齿轮箱剖分面水平度	0.15/1000	用水平仪检查

检查数量:全数检查。

检验方法:应符合表 8.4.4 的相关规定。

8.4.5 升降、移动和摆动辊道台面为集中传动时,安装允许偏差应符合本规范第 8.4.3 条的规定。

8.4.6 升降、移动和摆动辊道台面为单独传动时,安装允许偏差应符合本规范第 8.4.4 条的规定。

8.4.7 升降、移动和摆动辊道的升降、移动和摆动装置安装允许偏差应符合表 8.4.7 的规定。

表 8.4.7 升降、移动和摆动装置安装允许偏差

项次	项 目		允许偏差(mm)	检验方法
1	升降装置	主轴中心偏移	1.0	拉钢丝线、吊线锤,用钢直尺检查
		各支座中心的标高	±1.0	用水准仪或平尺、内径千分尺检查
		各支座中心的距离	±1.0	用钢卷尺检查
		主轴水平度	0.10/1000	用平尺、水平仪或水准仪检查
		主轴相对机组纵向中心线垂直度	0.15/1000	拉钢丝线,用摆杆、内径千分尺检查

续表 8.4.7

项次	项目		允许偏差（mm）	检验方法
1	升降装置	主轴瓦口同轴度	0.15	拉钢丝线,用内径千分尺检查
		导向滑板垂直度	全长1.0	吊锤线用钢尺检查
		升降油缸底座水平度	0.20/1000	用水平仪检查
		升降油缸底座标高	±0.5	用水准仪或平尺、内径千分尺检查
2	移动装置	底座水平度	0.10/1000	用水平仪检查
		底座轨面标高	−1.0～0	用水准仪或平尺、内径千分尺检查
		同一横断面上两轨面高低差	0.50	用平尺、水平仪、塞尺检查
		轨道纵向、横向中心偏移	1.0	拉钢丝线,用钢直尺检查
		驱动侧轨道侧面对辊道中心平行度	1.0/全长	拉钢丝线、吊线锤,用钢直尺检查
		轨距	±0.5	用钢直尺检查
		驱动侧轨道的直线度	0.30/1000	拉钢丝线,用钢直尺检查
		传动轴与升降装置主轴中心距	±1.0	拉钢丝线、吊线锤,用钢直尺检查
		减速机中心与辊道中心距	±1.0	拉钢丝线、吊线锤,用钢直尺检查
		减速机水平度	0.10/1000	用水平仪检查
3	摆动装置	台体固定支座中心偏移	1.0	拉钢丝线、吊线锤,用钢直尺检查
		摆动台体固定支座标高	±1.0	用水准仪或平尺、内径千分尺检查
		台面横向水平度	0.20/1000	用水平仪检查
		升降装置曲轴支承座中心偏移	1.0	拉钢丝线、吊线锤,用钢直尺检查
		曲轴支承座标高	±1.0	用水准仪或平尺、内径千分尺检查
		曲轴支承座水平度	0.10/1000	用水平仪检查
		减速机水平度	0.10/1000	用水平仪检查

检查数量:全数检查。
检验方法:应符合表 8.4.7 的相关规定。

8.5 感应加热炉安装

8.5.1 感应炉安装应先安装辊道,再安装钢结构平台。
8.5.2 感应炉钢结构平台中心调整应以辊道纵、横中心线为基准。
8.5.3 翻板及提升装置、感应炉本体的安装应在感应炉钢结构平台完成后进行。
8.5.4 翻板及提升装置、感应炉本体中心的调整应以辊道纵横中心线为基准。

8.6 感应加热炉验收

8.6.1 感应加热炉设备安装允许偏差应符合表 8.6.1 的规定。

表 8.6.1 感应加热炉设备安装允许偏差

项次	项 目		允许偏差 (mm)	检验方法
1	辊道	中心偏移	1.0	吊线锤,用钢直尺检查
		标高	±1.0	用水准仪检查
		机架顶面水平度	0.20/1000	用水平仪检查
		基准辊轴线对机组纵向中线的垂直度	0.15/1000	拉钢丝线,用摆杆、内径千分尺检查
		相邻两辊子(含组与组间)的平行度	0.30/1000	用内径千分尺检查
		辊子平行度累计误差	0.60/1000	吊线锤,用钢直尺检查
2	感应炉钢结构	柱子纵、横向中心偏移	3.0	吊线锤,用钢直尺检查
		柱子垂直度	0.8/1000, 2.0/全高	吊线锤,用钢直尺检查
		柱子标高	±5.0	用水准仪检查
		梁标高	±5.0	用水准仪检查

续表 8.6.1

项次	项 目		允许偏差 (mm)	检 验 方 法
3	翻板及提升装置	中心偏移	1.5	吊线锤,用钢直尺检查
		标高	±1.0	用水准仪检查
4	感应炉本体	中心偏移	1.0	吊线锤,用钢直尺检查
		标高	±1.0	用水准仪检查

检查数量:全数检查。
检验方法:应符合表 8.6.1 的相关规定。

8.7 高压除鳞装置安装

8.7.1 高压除鳞装置安装宜先安装辊道,再安装高压除鳞装置本体。

8.7.2 高压除鳞装置泵站安装应符合现行国家标准《风机、压缩机、泵安装工程施工及验收规范》GB 50275 的有关规定。

8.8 高压除鳞装置验收

8.8.1 高压除鳞装置安装允许偏差应符合表 8.8.1 的规定。

表 8.8.1 高压除鳞装置安装允许偏差

项次	项 目	允许偏差 (mm)	检 验 方 法
1	高压除鳞箱标高	±1.0	用平尺、水平仪或水准仪检查
2	高压除鳞箱相对辊道纵向中心线的中心偏差	1.5	拉钢丝线、吊线锤,用钢直尺检查
3	高压空压机及主泵标高	±5.0	用平尺、水平仪或水准仪检查
4	高压空压机及主泵纵、横向偏移	5.0	拉钢丝线、吊线锤,用钢直尺检查
5	高压空压机及主泵纵、横向水平度	0.50/1000	用水平仪检查
6	高压水箱及蓄能器标高	±10.0	用平尺、水平仪或水准仪检查
7	高压水箱及蓄能器纵、横向中心偏移	10.0	拉钢丝线、吊线锤,用钢直尺检查

检查数量:全数检查。

检验方法:应符合表8.8.1的相关规定。

8.9 淬水槽安装

8.9.1 拨料装置和入水装置的标高调整应以运输辊道的标高为基准。

8.9.2 提升链接料齿形重合度的检查应采用制造厂提供的专用试棒检查,用塞尺检查试棒与齿形两侧间隙。

8.10 淬水槽验收

Ⅰ 一 般 项 目

8.10.1 联轴器装配时的两轴心径向位移、两轴线斜倾和联轴器的两端面间隙应符合设计文件规定,当无设计文件时,应符合现行国家标准《机械设备安装工程施工及验收通用规范》GB 50231的有关规定。

检查数量:抽查30%,且不少于1套。

检验方法:检查安装质量记录,用百分表和塞尺检查。

8.10.2 淬水槽设备安装允许偏差应符合表8.10.2的规定。

表8.10.2 淬水槽设备安装允许偏差

项次	项 目		允许偏差(mm)	检 验 方 法
1	运输辊道	相邻轧制中心相同位置处两辊子顶面高差	0.5	用水准仪检查
		运输辊道全长范围轧制中心位置处辊子顶面高差	3.0	用水准仪检查
2	拨料装置接料顶面标高(水平托料位,全长范围)		±1.0	用水准仪检查
3	入水装置接料顶面标高(水平托料位,全长范围)		±1.0	用水准仪检查

续表 8.10.2

项次	项 目		允许偏差(mm)	检验方法
4	钢管提升链	提升链接料齿形重合度	1.0	采用试棒,用塞尺检查试棒与齿形两侧间隙
		淬火槽全长范围内齿形重合度	3.0	用塞尺检查
		提升链传动长轴中心相对于其设计中心线位置偏差	1.0	拉钢丝线、吊线锤,用钢直尺检查
5	链式运输机	相邻两链条顶面高差	1.0	用水准仪检查
		全长范围内链条顶面高差	2.0	用水准仪检查
		中心线与提升链链条中心线平行度	1.0	拉钢丝线、吊线锤,用钢直尺检查

检查数量:全数检查。

检验方法:应符合表 8.10.2 的相关规定。

8.11 链式冷床安装

8.11.1 链式冷床应检查相邻两链条顶面标高差。

8.11.2 正向链、反向链齿形重合度应采用专用试棒、塞尺检查。

8.12 链式冷床验收

Ⅰ 一 般 项 目

8.12.1 联轴器装配时的两轴心径向位移、两轴线斜倾和联轴器的两端面间隙应符合设计文件规定,当无设计文件时,应符合现行国家标准《机械设备安装工程施工及验收通用规范》GB 50231 的有关规定。

检查数量:抽查 30%,且不少于 1 套。

检验方法:检查安装质量记录,用百分表和塞尺检查。

8.12.2 钢管链式冷床本体安装允许偏差应符合表 8.12.2 的规定。

表 8.12.2 钢管链式冷床本体安装允许偏差

项次	项 目		允许偏差(mm)	检验方法
1	链式运输机	相邻两链条顶面高度差	1.0	用水准仪检查
		全长范围内链条顶面高度差	2.0	用水准仪检查
		中心线与提升链链条中心线平行度	1.0	拉钢丝线、吊线锤，用钢尺测量
2	淬水槽冷床	正向链齿形、接料导轮齿形重合度	1.0	采用试棒，用塞尺检查试棒与齿形两侧间隙
		冷床全长范围内同类齿形重合度	2.0	采用试棒，用塞尺检查试棒与齿形两侧间隙
		正向链、反向链相邻同类链条顶面高差	1.0	用水准仪检查
		冷床全长范围内同类链条顶面高差	2.0	用水准仪检查
		正向链与反向链链面高差相对设计值偏差	1.0	用水准仪检查
		冷床主传动长轴中心相对于设计值偏差	1.0	拉钢丝线、吊线锤，用钢直尺检查
3	钢管收集臂长轴中心位置偏差		1.0	拉钢丝线、吊线锤，用钢直尺检查
4	冷床全长范围内接料顶面高差		2.0	用水准仪检查

检查数量：全数检查。

检验方法：应符合表 8.12.2 的相关规定。

8.13 挤压线辅助设备试运转

8.13.1 挤压线辅助设备试运转应符合本规范 5.11.1 的相关规定。

8.13.2 管坯清洗装置上、下料装置旋转机构应动作灵活，无卡阻现象，动作到位。

8.13.3 感应加热炉的加热器(钻孔器)送进段驱动螺旋千斤顶应

反复运行5次,接近开关信号反馈应正确灵敏。

8.13.4 淬水槽设备试运转应选用矫直后的冷轧试车用样品管,依次将其放在运输辊道始端上,经过运输辊道、淬火槽区、冷床区设备,管件运行顺利,无卡阻及划伤,设备动作无误,动作顺畅。动作应反复操作5次,各设备运转应平稳,无异响。

8.13.5 链式冷床试运转传动部件应转动平稳,无异响;链传动不得有卡阻和跑偏现象。

9 环形加热炉

9.1 炉体钢结构安装

9.1.1 钢框架结构宜在地面预拼成单元吊装就位。

9.1.2 圆形不锈钢水封装置应分段安装在钢结构牛腿上,通过薄垫片调整水封槽的水平度,对各分段的接口应进行满焊。

9.1.3 圆形不锈钢水封装置应装水做渗漏检查,不漏水应为合格。

9.2 炉体钢结构验收

Ⅰ 一 般 项 目

9.2.1 炉体钢结构安装允许偏差应符合表9.2.1的规定。

表9.2.1 炉体钢结构安装允许偏差

项次	项 目	允许偏差(mm)	检验方法
1	炉体框架内、外立柱中心	3.0	拉钢丝线、吊线锤,用钢直尺检查
2	炉体框架内、外立柱标高	±3.0	用水准仪检查
3	炉体框架内、外立柱垂直度	5.0/全高	吊线锤,用钢直尺检查
4	炉顶梁标高	±3.0	用水准仪检查
5	炉顶梁相对炉墙柱中心偏移	3.0	拉钢丝线、吊线锤,用钢直尺检查
6	水封槽相对于圆心的距离	±10.0	拉钢丝线、吊线锤,用钢直尺检查
7	水封槽标高	±5.0	用水准仪检查

检查数量:全数检查。
检验方法:应符合表9.2.1的相关规定。

9.3 入出炉辊道安装

9.3.1 入出炉辊道安装按本规范第8.3节执行。

9.4 入出炉辊道验收

9.4.1 入出炉辊道验收按本规范第8.4节执行。

9.5 支撑辊、导向辊安装

9.5.1 中心标板及标高基准点应以环形炉中心标板为基准投放支撑辊、导向辊的径向中心和切向中心,并应做好标记。
9.5.2 支撑辊、导向辊的标高调整应以其辊面为基准。
9.5.3 支撑辊、导向辊的纵、横中心调整应以设备底座中心标记为基准。
9.5.4 支撑辊的水平度的调整应以辊面为基准。

9.6 支撑辊、导向辊验收

Ⅰ 一般项目

9.6.1 支撑辊、导向辊安装允许偏差应符合表9.6.1的规定。

表9.6.1 支撑辊、导向辊安装允许偏差

项次	项目	允许偏差(mm)	检验方法
1	支撑辊辊面标高	±0.50	用水准仪检查
2	支撑辊径向位置偏移	±3.0	用全站仪检查
3	支撑辊圆周方向位置偏移	±1.0	用全站仪检查
4	支撑辊水平度	0.20/1000	用水平仪检查
5	导向辊标高	±1.0	用水准仪检查
6	导向辊径向位置偏移	±1.5	用全站仪检查
7	导向辊圆周方向位置偏移	±1.5	用全站仪检查
8	导向辊垂直度	0.20/1000	用水平仪检查

检查数量:全数检查。
检验方法:应符合表9.6.1的相关规定。

9.7 旋转钢平台安装

9.7.1 旋转钢平台的调整应以下平面导轨为基准。

9.7.2 旋转电气室应在旋转钢平台安装之前就位待安装，旋转钢平台安装完成后再安装旋转电气室。

9.8 旋转钢平台验收

Ⅰ 一般项目

9.8.1 旋转钢平台安装允许偏差应符合表9.8.1的规定。

表9.8.1 旋转钢平台安装允许偏差

项次	项　　目	允许偏差(mm)	检验方法
1	旋转钢平台轨道与分析仪接头底板标高	±2.0	用水准仪检查
2	旋转钢平台轨道水平度	0.50/1000	用水平仪检查

检查数量：全数检查。
检验方法：应符合表9.8.1的相关规定。

9.9 台车安装

9.9.1 台车安装前应先安装下方的液压驱动装置。

9.9.2 台车宜在地面组装平台上组装成整体，并应检查台车几何尺寸、下表面水平度，验收合格后应进行栓焊连接，组装好的台车应逐台顺次吊装放置于支撑辊上。

9.9.3 台车安装完并校正圆度后，应根据相邻台车实际间隙值配置垫片填塞，然后紧固连接螺栓。

9.10 台车验收

Ⅰ 一般项目

9.10.1 台车安装允许偏差应符合表9.10.1的规定。

表9.10.1 台车安装允许偏差

项次	项　　目	允许偏差(mm)	检验方法
1	台车内环径向位置偏移	±5.0	用全站仪检查
2	台车组装对角线	5.0	用钢直尺检查
3	支撑辊轨道标高差	0.5	用水准仪检查

检查数量：全数检查。
检验方法：应符合表9.10.1的相关规定。

9.11 炉壳安装

9.11.1 炉壳中心的调整应以烧嘴中心线为基准。

9.11.2 中心、垂直度调整合格后，应在炉壳壁板的对接处安装"V"形膨胀节，膨胀节应采用间断焊。

9.11.3 壁板底部不锈钢水封刀安装时应在水封刀与壁板间填纤维绳。

9.12 炉壳验收

Ⅰ 一般项目

9.12.1 炉壳安装允许偏差应符合表9.12.1的规定。

表9.12.1 炉壳安装允许偏差

项次	内容	允许偏差 (mm)	检查方式
1	炉壳中心	3.0	拉钢丝线、吊线锤， 用钢直尺检查
2	炉壳垂直度	5.0/全高	吊线锤， 用钢直尺检查

检查数量：抽查10%且不得少于10件。
检验方法：应符合表9.12.1的相关规定。

9.13 炉门及提升装置安装

9.13.1 炉门宜在地面进行组装。

9.13.2 组装完成后应对水冷管进行严密性和强度试验。

9.14 炉门及提升装置验收

Ⅰ 一般项目

9.14.1 炉门及提升装置允许偏差应符合表9.14.1的规定。

表 9.14.1 炉门及提升装置安装允许偏差

项次	内　　容	允许偏差(mm)	检查方式
1	炉门标高	±3.0	用水准仪检查
2	炉门宽度方向水平度	0.50/1000	用水平仪检查
3	炉门立面垂直度	3.0/全高	吊线锤,用钢直尺检查

检查数量:全数检查。

检验方法:检查构件合格证,其他应符合表 9.14.1 的相关规定。

9.15 试 运 转

9.15.1 试运转应符合本规范第 5.11.1 条的相关规定。

9.15.2 依据设计图纸应确认离合器及制动装置的灵敏性及可靠性。

9.15.3 各风机运转应无卡阻和碰擦现象,叶轮旋转方向应正确,无异常振动和声响,运转时间不得少于 2h。

10 精整线设备

10.1 压力矫直机安装

10.1.1 纵、横向中心的调整应以机组中心为基准。

10.1.2 机架装配应符合设备技术文件规定。

10.1.3 标高的调整应以下机架加工面为基准。

10.1.4 主减速机安装标高应以主减速机减速箱窗口下平面为基准。

10.1.5 主减速机纵、横水平度的调整应以两端轴颈或指定位置为基准。

10.2 压力矫直机验收

Ⅰ 一般项目

10.2.1 传动装置安装和联轴器装配应符合现行国家标准《机械设备安装工程施工及验收通用规范》GB 50231 的有关规定。

检查数量：全数检查。

检验方法：检查安装质量记录，用百分表和塞尺检查。

10.2.2 压力矫直机安装允许偏差应符合表 10.2.2 的规定。

表 10.2.2 压力矫直机安装允许偏差

项次	项 目	允许偏差(mm)	检 验 方 法
1	标高	±1.0	用水准仪检查
2	纵、横向中心偏移	±1.0	拉钢丝线、吊线锤，用钢直尺检查
3	本体水平度	0.10/1000	水平仪、水平尺检查
4	工作辊水平度	0.05/1000	用水平仪检查
5	主减速机水平度	0.05/1000	用水平仪检查
5	工作辊平行度	0.10/1000	用内径千分尺检查

检查数量：全数检查。

检验方法:应符合表 10.2.2 的相关规定。

10.3 斜辊式矫直机安装

10.3.1 底座、减速机纵、横向中心的调整应以机组中心为基准。

10.3.2 机架下横梁应与底座的结合面接触紧密,用 0.05mm 塞尺进行检查,四周 75% 不入。

10.3.3 机架立柱垂直度的调整应以立柱内侧工作面为基准。

10.3.4 减速机标高调整应以减速机减速箱窗口下平面为基准。

10.3.5 减速机纵、横向水平度调整应以两端轴颈或指定基准面为基准。

10.4 斜辊式矫直机验收

Ⅰ 一般项目

10.4.1 传动装置安装和联轴器装配应符合现行国家标准《机械设备安装工程施工及验收通用规范》GB 50231 的有关规定。

检查数量:全数检查。

检验方法:检查安装质量记录,用百分表和塞尺检查。

10.4.2 斜辊式矫直机安装允许偏差应符合表 10.4.2 的规定。

表 10.4.2 斜辊式矫直机安装允许偏差

项次	项 目	允许偏差(mm)	检验方法
1	底座标高	±0.50	用水准仪检查
2	底座纵、横向中心偏移	1.0	拉钢丝线、吊线锤,用钢直尺检查
3	底座水平度	0.10/1000	用水平尺、水平仪检查
4	机架立柱垂直度	0.10/1000	吊线锤,用内径千分尺检查
5	试棒与全部工作辊辊型曲面接触,局部允许间隙	0.1	用试棒、塞尺检查
6	减速机中心偏移	1.0	拉钢丝线、吊线锤,用钢直尺检查
7	减速机标高	±0.50	用水准仪检查
8	减速机水平度	0.10/1000	用水准仪检查

检查数量:全数检查。

检验方法:应符合表10.4.2的相关规定。

10.5 切管带锯机安装

10.5.1 送、接料架和置料架的纵、横向中心调整应以带锯机主机中心为基准。

10.5.2 送、接料架标高的调整应以辊面为基准。

10.5.3 带锯机主机标高、水平度的调整应以主机上送料辊道为基准。

10.5.4 送、接料架平行度的调整应以辊面为基准,并应与主机送料辊道平面平行。

10.5.5 置料架标高的调整应以其最高点为基准,并应低于接料架的辊面。

10.6 切管带锯机验收

Ⅰ 一般项目

10.6.1 传动装置安装和联轴器装配应符合现行国家标准《机械设备安装工程施工及验收通用规范》GB 50231 的有关规定。

　　检查数量:全数检查。

　　检验方法:检查安装质量记录,用百分表和塞尺检查。

10.6.2 切管带锯机安装允许偏差应符合表10.6.2的规定。

表10.6.2 切管带锯机安装允许偏差

项次	项目	允许偏差(mm)	检验方法
1	标高	±0.50	用水准仪检查
2	带锯机主机、送、接料架中心偏移	1.0	拉钢丝线、吊线锤,用钢直尺检查
3	水平度	0.30/1000	用水平仪检查
4	辊道水平度	0.20/1000	用水平仪检查
5	送、接料架辊筒面相对主机辊筒面平行度	0.20/1000	用内径千分尺检查
6	置料架标高	±0.50	用水准仪检查

续表 10.6.2

项次	项 目	允许偏差(mm)	检验方法
7	送料架与主机标高高度差	0.30	用水准仪检查
8	主机与接料架标高高度差	0.30	用水准仪检查

检查数量：全数检查。

检验方法：应符合表 10.6.2 的相关规定。

10.7 喷丸机安装

10.7.1 喷丸机、辊道及上下料台架纵、横向中心的调整应以机组中心线为基准。

10.7.2 标高的调整应以机组标高控制点为基准。

10.7.3 上料台架标高应高于入口辊道标高，下料台架标高应低于出口辊道标高，其值应符合设计文件规定。

10.8 喷丸机验收

Ⅰ 一般项目

10.8.1 传动装置安装和联轴器装配应符合现行国家标准《机械设备安装工程施工及验收通用规范》GB 50231 的有关规定。

检查数量：全数检查。

检验方法：检查安装质量记录，用百分表和塞尺检查。

10.8.2 除尘系统验收应符合现行国家标准《冶金除尘设备工程安装与质量验收规范》GB 50566 的有关规定。

10.8.3 喷丸机安装允许偏差应符合表 10.8.3 的规定。

表 10.8.3 内/外喷丸机安装允许偏差

项次	项 目	允许偏差(mm)	检验方法
1	标高	±0.50	水准仪检查
2	中心偏移	1.0	拉钢丝线、吊线锤，用钢直尺检查
3	辊道水平度	0.20/1000	用水平仪检查

检查数量：全数检查。

检验方法:应符合表10.8.3的相关规定。

10.9 周期冷轧管机安装

10.9.1 周期冷轧管机设备安装纵向中心的调整应以轧制中心线为基准,横向中心的调整应以大皮带轮中心为基准。
10.9.2 主机座标高及水平度的调整应以机架滑道面为基准。
10.9.3 送料床身标高、水平度的调整应以床身滑道面为基准。
10.9.4 回转送进装置标高的调整应以管坯卡盘中心标高为基准。
10.9.5 转向箱、传动轴、过渡齿轮箱的标高及水平度的调整应以下箱体剖分面为基准。
10.9.6 主传动系统调整皮带拉伸率,应符合设计文件规定。
10.9.7 出料台架标高应以最大规格成品管能顺利导入出料V型槽为标准调整。
10.9.8 上料台架标高的调整应以推料杆为基准。

10.10 周期冷轧管机验收

Ⅰ 一般项目

10.10.1 传动装置安装和联轴器装配应符合现行国家标准《机械设备安装工程施工及验收通用规范》GB 50231 的有关规定。

检查数量:全数检查。

检验方法:检查安装质量记录,用百分表和塞尺检查。

10.10.2 周期冷轧管机安装允许偏差应符合表10.10.2的规定。

表10.10.2 周期冷轧管机安装允许偏差

项次	项 目		允许偏差(mm)	检验方法
1	偏心齿轮箱	分箱面标高	±0.50	用水准仪检查
		中心	1.0	拉钢丝线、吊线锤,用钢直尺检查
		分箱面水平度	0.10/1000	用水平仪检查

续表 10.10.2

项次	项 目		允许偏差 (mm)	检验方法
2	主机座	标高	±0.50	用水准仪检查
		中心	1.0	拉钢丝线、吊线锤，用钢直尺检查
		水平度	0.10/1000	用水平仪检查
3	送料床身	标高	±0.50	用水准仪检查
		中心	1.0	拉钢丝线、吊线锤，用钢直尺检查
		水平度	0.10/1000	用水平仪检查
4	转向箱	标高	±0.50	用水准仪检查
		水平度	0.10/1000	用水平仪检查
5	过渡齿轮箱	标高	±0.50	用水准仪检查
		水平度	0.10/1000	用水平仪检查
6	成品管拉出装置	辊身凹面与轧制中心线的偏移	0.50	用经纬仪检查
7	出料台架	V型槽纵向中心与轧制中心线的偏移	0.50	用经纬仪检查
		V型槽的标高	±0.50	用水准仪检查
8	芯棒打油装置	纵向中心与轧制中心线的偏移	0.50	用经纬仪检查
9	上料台架	V型辊道纵向中心与轧制中心线的偏移	0.50	用经纬仪检查
		推料杆中心标高	±0.50	用水准仪检查
10	出入口卡盘	出入口卡盘中心与轧辊装配中上、下辊环中心以及与轧制中心线的偏移	0.50	用经纬仪检查
		出入口卡盘标高	±0.50	用水准仪检查
11	机架装配	上、下轧辊辊缝偏差	±0.10	用内径千分尺检查

检查数量：全数检查。

检验方法:应符合表10.10.2的相关规定。

10.11 测长称重标记装置安装

10.11.1 上下料台架、测长、标记及称重装置纵、横向中心的调整应以机组中心线为基准。

10.11.2 各辊道标高的调整应以主机进出料辊道为基准。

10.11.3 各辊道平行度的调整应以主机进出料辊道为基准。

10.12 测长称重标记装置验收

Ⅰ 一般项目

10.12.1 传动装置安装和联轴器装配应符合现行国家标准《机械设备安装工程施工及验收通用规范》GB 50231的有关规定。

检查数量:全数检查。

检验方法:检查安装质量记录,用百分表和塞尺检查。

10.12.2 测长称重标记装置安装允许偏差应符合表10.12.2的规定。

表10.12.2 测长称重标记装置安装允许偏差

项次	项 目	允许偏差(mm)	检验方法
1	标高	±0.50	用水准仪检查
2	中心偏移	±1.0	拉钢丝线、吊线锤,用钢直尺检查
3	辊道水平度	0.20/1000	用水平仪检查

检查数量:全数检查。

检验方法:应符合表10.12.2的相关规定。

10.13 超声波探伤装置安装

10.13.1 超声波探伤装置纵、横向中心的调整应以机组中心线为基准。

10.13.2 各辊道标高的调整应以主机进出料辊道为基准。

10.13.3 各辊道平行度的调整应以主机进出料辊道为基准。

10.14 超声波探伤装置验收

Ⅰ 一般项目

10.14.1 传动装置安装和联轴器装配应符合现行国家标准《机械设备安装工程施工及验收通用规范》GB 50231 的有关规定。

检查数量：全数检查。

检验方法：检查安装质量记录，用百分表和塞尺检查。

10.14.2 超声波探伤装置安装允许偏差应符合表 10.14.2 的规定。

表 10.14.2 超声波探伤装置安装允许偏差

项次	项 目	允许偏差（mm）	检验方法
1	标高	±0.50	用水准仪检查
2	纵、横向中心	±1.0	拉钢丝线、吊线锤，用钢直尺检查
3	辊子水平度	0.20/1000	用水平仪检查

检查数量：全数检查。

检验方法：应符合表 10.14.2 的相关规定。

10.15 涡流探伤装置安装

10.15.1 涡流探伤装置纵、横向中心测量的调整应以机组中心线为基准。

10.15.2 各辊道标高的调整应以主机进出料辊道为基准。

10.15.3 各辊道平行度的调整应以主机进出料辊道为基准。

10.16 涡流探伤装置验收

Ⅰ 一般项目

10.16.1 传动装置安装和联轴器装配应符合现行国家标准《机械设备安装工程施工及验收通用规范》GB 50231 的有关规定。

检查数量：全数检查。

检验方法：检查安装质量记录，用百分表和塞尺检查。

10.16.2 涡流探伤装置安装允许偏差应符合表10.16.2的规定。

表10.16.2 涡流探伤装置安装允许偏差

项次	项目	允许偏差(mm)	检验方法
1	标高	±0.50	用水准仪检查
2	纵、横向中心	±1.0	拉钢丝线、吊线锤,用钢直尺检查
3	辊子水平度	0.20/1000	用水平仪检查

检查数量:全数检查。
检验方法:应符合表10.16.2的相关规定。

10.17 钢管外表面抛光机安装

10.17.1 钢管外表面抛光机各机构中心的调整应以机组中心线为基准。

10.17.2 抛光机磨头垂直度的调整应以机组中心线为基准。

10.18 钢管外表面抛光机验收

Ⅰ 一般项目

10.18.1 传动装置安装和联轴器装配应符合现行国家标准《机械设备安装工程施工及验收通用规范》GB 50231的有关规定。
检查数量:全数检查。
检验方法:检查安装质量记录,用百分表和塞尺检查。

10.18.2 气动系统的安装应按现行国家标准《冶金机械液压、润滑和气动设备工程安装验收规范》GB 50387的有关规定执行。

10.18.3 钢管外表面抛光机安装允许偏差应符合表10.18.3的规定。

表10.18.3 钢管外表面抛光机安装允许偏差

项次	项目	允许偏差(mm)	检验方法
1	标高	±0.50	用水准仪检查
2	纵、横向中心	±1.0	拉钢丝线、吊线锤,用钢直尺检查

续表 10.18.3

项次	项 目	允许偏差(mm)	检验方法
3	被动托轮中心与机组中心线平行度	0.30/1000	用经纬仪检查
4	抛光机磨头相对机组中心线垂直度	0.20/1000	拉钢丝线,用内径千分尺摆杆法检查

检查数量:全数检查。

检验方法:应符合表10.18.3的相关规定。

10.19 固溶辊底式热处理炉安装

10.19.1 炉体纵横向中心的调整应以基础中心线为基准。

10.19.2 上下料台架、进出料辊道中心的调整应以炉体中心线为基准。

10.20 固溶辊底式热处理炉验收

10.20.1 传动装置安装和联轴器装配应符合现行国家标准《机械设备安装工程施工及验收通用规范》GB 50231的有关规定。

检查数量:全数检查。

检验方法:检查安装质量记录,用百分表和塞尺检查。

10.20.2 固溶辊底式热处理炉安装允许偏差应符合表10.20.2的规定。

表 10.20.2 固溶辊底式热处理炉安装允许偏差

项次	项 目	允许偏差(mm)	检验方法
1	辊道标高	±1.0	用水准仪检查
2	上料台架标高	±0.50	用水准仪检查
3	纵、横向中心	±1.0	拉钢丝线、吊线锤,用钢直尺检查
4	炉辊相对炉体纵向中心垂直度	0.20/1000	拉钢丝线,用内径千分尺摆杆法检查
5	炉辊辊面水平度	0.20/1000	用水平仪检查

检查数量:全数检查。

检验方法:应符合表 10.20.2 的相关规定。

10.21 精整线设备试运转

10.21.1 试运转应符合本规范第 5.11.1 条的有关规定。

10.21.2 压力矫直机及斜辊式矫直机应连续运转 2h;要求反转时,正反转应各 1h。

10.21.3 带锯机锯片应连续运转 1h,辊筒连续运转 1h。

10.21.4 周期冷轧管机轧制速度应由低到高,先 20 次/min~30 次/min 连续运转 2h,若无异常现象,提高到 30 次/min~40 次/min 连续运转 4h,停车检查各部件和运动部位,若无异常现象,提高到 40 次/min~60 次/min 连续运转 8h。

10.21.5 钢管外表面抛光机主、被动托轮应连续运行 30min,无卡阻现象。

10.21.6 固溶辊底式热处理炉进料端、出料端炉门应开闭正常,无卡阻现象。

11 安全及环保

11.1 安 全

11.1.1 施工安全管理应符合现行国家标准《施工企业安全生产管理规范》GB 50656 的有关规定。

11.1.2 施工单位应对施工现场进行安全检查,制定安全管理措施。安全检查应符合现行行业标准《建筑施工安全检查标准》JGJ 59 的有关规定。

11.1.3 洞口、攀登、悬空操作及交叉作业应符合现行行业标准《建筑施工高处作业安全技术规范》JGJ 80 的有关规定。

11.1.4 脚手架的搭拆应符合现行行业标准《建筑施工扣件式钢管脚手架安全技术规范》JGJ 130 和《建筑施工碗扣式钢管脚手架安全技术规范》JGJ 166 的有关规定。

11.1.5 施工现场临时用电应符合现行行业标准《施工现场临时用电安全技术规范》JGJ 46 的有关规定。

11.1.6 施工现场应有专业人员负责用电设备和用电线路的安装、维护和管理。

11.1.7 吊装区域应设置安全警戒标志和警戒线。

11.1.8 施工现场应采取防火措施,临时建筑防火、在建工程防火、临时消防设施及防火管理应符合现行国家标准《建设工程施工现场消防安全技术规范》GB 50720 的有关规定。

11.1.9 起重机械的使用应符合现行行业标准《建筑机械使用安全技术规程》JGJ 33 的有关规定。

11.1.10 管道系统压力试验及吹扫应设置禁区,当发现异常时,应及时卸压处理,不得带压补漏与紧固螺栓。

11.2 环　保

11.2.1 防尘、防噪声、防振动、防电磁辐射、防暑与防寒设施,应符合现行国家职业卫生标准《职业健康监护技术规范》GBZ 188 的有关规定。

附录 A 挤压钢管工程设备安装分部分项工程划分表

表 A 分部分项工程划分表

序号	分部工程名称	分项工程名称
1	管坯准备线设备安装	短(长)尺带锯机、剥皮机、端面加工机、定心孔钻床、长深孔钻床
2	穿(扩)孔机安装	底座、机架、镦粗梁/穿孔梁、扩孔筒、机械手、玻璃润滑台
3	挤压机安装	底板、前(后)梁、张力柱、挤压梁、穿孔梁、挤压筒、上料机械手、主液压缸、玻璃粉润滑台
4	挤压线辅助设备安装	上料与管坯清洗装置、运输辊道、感应加热炉、高压除鳞装置、淬水槽、链式冷床
5	环形加热炉设备安装	炉体钢结构、入出炉辊道、支撑辊和导向辊、旋转钢平台、台车、炉壳、炉门及提升装置
6	精整线设备安装	压力矫直机、斜辊式矫直机、切管带锯机、喷丸机、周期冷轧管机、测长(称重)标记装置、超声波探伤装置、涡流探伤装置、钢管外表面抛光机、固熔辊底式热处理炉
7	液压、润滑、气动系统安装	成套液压站、成套润滑站、阀架和控制阀架、管道制作、管道冲洗和压力试验、调试和试运转

附录 B 挤压钢管工程设备安装分项工程质量验收记录

表 B　　　　　分项工程质量验收记录

单位工程名称			分部工程名称	
施工单位			项目经理	
监理单位			总监理工程师	
分包单位			分包项目经理	
施工执行标准名称及编号				
检查项目		质量验收规范规定	施工单位检验结果	监理/建设单位验收结果
主控项目				
主控项目				
主控项目				
主控项目				
一般项目				
一般项目				
一般项目				
一般项目				
一般项目				
施工单位检验评定结果		专业技术负责人： 年　月　日		质量检查员： 年　月　日
监理/建设单位验收结论		监理工程师/建设单位项目技术负责人： 年　月　日		

附录 C 挤压钢管工程设备安装分部工程质量验收记录

表 C _____ 分部工程质量验收记录

单位工程名称				
施工单位			分包单位	
序号	分项工程名称	施工单位检查评定	监理/建设单位验收意见	
	设备单体无负荷联动试车			
	质量控制资料			
验收单位	施工单位	项目经理: 年 月 日	项目技术负责人: 年 月 日	项目质量负责人: 年 月 日
	分包单位	项目经理: 年 月 日	项目技术负责人: 年 月 日	项目质量负责人: 年 月 日
	监理/建设单位	总监理工程师/建设单位项目技术负责人: 年 月 日		

附录 D 挤压钢管工程设备安装单位工程质量验收记录

D.0.1 挤压钢管工程设备安装单位工程质量竣工验收应按表 D.0.1 进行记录。

表 D.0.1 单位工程质量竣工验收记录

单位工程名称						
施工单位		技术负责人			开工日期	
监理单位		项目技术负责人			交工日期	
序号	项目	验 收 记 录		验 收 结 论		
1	分部工程	共 分部,经查 分部,符合标准及设计要求 分部				
2	质量控制资料	共 项,经查符合要求 项				
3	观感质量	共抽查 项,符合要求 项,不符合要求 项				
4	综合验收结论					
参加验收单位		建设单位	监理单位	施工单位		设计单位
		（公章） 单位/项目负责人： 年 月 日	（公章） 总监理工程师： 年 月 日	（公章） 单位负责人： 年 月 日		（公章） 单位/项目负责人： 年 月 日

D.0.2 挤压钢管工程设备安装单位工程质量控制资料应按表 D.0.2 进行记录。

表 D.0.2 单位工程质量控制资料核查记录

单位工程名称		施工单位		
序号	资料名称	份数	核查意见	核查人
1	图纸会审			
2	设计变更			
3	竣工图			
4	洽谈记录			
5	设备基础中间交接记录			
6	设备基础沉降记录			
7	设备基准线、基准点测量记录			
8	设备、构件、原材料质量合格证明文件			
9	焊工合格证编号一览表			
10	隐蔽工程验收记录			
11	焊接质量检验记录			
12	设备、管道吹扫、冲洗记录			
13	设备、管道压力试验记录			
14	氧气设备及管道脱脂记录			
15	设备安全装置检测报告			
16	设备无负荷试运转记录			
17	分项工程质量验收记录			
18	分部工程质量验收记录			
19	单位工程观感质量检查记录			
20	单位工程质量竣工验收记录			
21	工程质量事故处理记录			
…	…			
结论： 施工单位项目经理： 年 月 日		结论： 总监理工程师/建设单位项目负责人： 年 月 日		

D.0.3 挤压钢管工程设备安装单位工程观感质量验收应按表 D.0.3 进行记录。

表 D.0.3 单位工程观感质量验收记录

单位工程名称			施工单位		
序号	项目	抽查质量状况		质量评价	
				合格	不合格
1	螺栓连接				
2	密封状况				
3	管道敷设				
4	隔声与绝热材料				
5	油漆涂刷				
6	走台、梯子、栏杆				
7	焊缝				
8	切口				
9	成品保护				
10	文明施工				
观感质量综合评价		施工单位专业质量检查员： 年　月　日		专业监理工程师： 年　月　日	
		施工单位项目经理： 年　月　日		总监理工程师/建设单位项目负责人： 年　月　日	

附录 E 挤压钢管工程设备无负荷试运转记录

表 E 挤压钢管工程设备单体无负荷试运转记录

试运转日期　　　　年　月　日

单位工程名称		分部工程名称		分项工程名称	
施工单位				项目经理	
监理单位				总监理工程师	
分包单位				分包项目经理	
序号	试运转检查项目		试运转情况		试运转结果
评定意见					
质量检查员： 年 月 日		技术负责人： 年 月 日		项目经理： 年 月 日	
监理工程师/建设单位项目技术负责人： 年 月 日					

本规范用词说明

1 为便于在执行本规范条文时区别对待,对要求严格程度不同的用词说明如下:

  1)表示很严格,非这样做不可的:

   正面词采用"必须",反面词采用"严禁";

  2)表示严格,在正常情况下均应这样做的:

   正面词采用"应",反面词采用"不应"或"不得";

  3)表示允许稍有选择,在条件许可时首先应这样做的:

   正面词采用"宜",反面词采用"不宜";

  4)表示有选择,在一定条件下可以这样做的,采用"可"。

2 条文中指明应按其他有关标准执行的写法为:"应符合……的规定"或"应按……执行"。

引用标准名录

《混凝土结构工程施工质量验收规范》GB 50204
《机械设备安装工程施工及验收通用规范》GB 50231
《冶金机械液压、润滑和气动设备工程安装验收规范》GB 50387
《冶金除尘设备工程安装与质量验收规范》GB 50566
《施工企业安全生产管理规范》GB 50656
《建设工程施工现场消防安全技术规范》GB 50720
《职业健康监护技术规范》GBZ 188
《建筑机械使用安全技术规程》JGJ 33
《施工现场临时用电安全技术规范》JGJ 46
《建筑施工安全检查标准》JGJ 59
《建筑施工高处作业安全技术规范》JGJ 80
《建筑施工扣件式钢管脚手架安全技术规范》JGJ 130
《建筑施工碗扣式钢管脚手架安全技术规范》JGJ 166

中华人民共和国国家标准

挤压钢管工程设备安装与验收规范

GB 51105-2015

条文说明

制 订 说 明

《挤压钢管工程设备安装与验收规范》GB 51105—2015，经住房城乡建设部 2015 年 5 月 11 日以第 814 号公告批准发布。

本规范制订过程中，编制组对国内外挤压钢管生产工艺、机械设备的现状和发展趋势进行了深入的调查研究，总结了我国挤压钢管工程设备安装工程建设的实践经验，同时参考了国外相关先进技术法规、技术标准。

为便于广大设计、施工、科研、学校等单位有关人员在使用本规范时能正确理解和执行条文规定，《挤压钢管工程设备安装与验收规范》编制组按章、节、条顺序编制了本规范的条文说明，对条文规定的目的、依据以及执行中需注意的有关事项进行了说明，还着重对强制性条文的强制性理由作了解释。但是，本条文说明不具备与标准正文同等的法律效力，仅供使用者作为理解和把握规范的参考。

目　　次

2　基本规定 ………………………………………………（75）
3　设备基础、地脚螺栓和垫板 …………………………（78）
　　3.1　设备基础施工 …………………………………（78）
　　3.2　设备基础验收 …………………………………（78）
　　3.4　地脚螺栓验收 …………………………………（78）
　　3.5　垫板安装 ………………………………………（79）
　　3.6　垫板验收 ………………………………………（79）
4　设备及材料进场 ………………………………………（80）
　　4.1　一般规定 ………………………………………（80）
　　4.2　设备及材料验收 ………………………………（80）
5　管坯准备段设备 ………………………………………（81）
　　5.3　剥皮机安装 ……………………………………（81）
6　穿(扩)孔机 ……………………………………………（82）
　　6.3　机架安装 ………………………………………（82）
　　6.5　镦粗梁(穿孔梁)安装 …………………………（82）
　　6.10　机械手验收 ……………………………………（82）
　　6.13　穿(扩)孔机试运转 ……………………………（82）
7　挤　压　机 ……………………………………………（83）
　　7.6　张力柱验收 ……………………………………（83）
10　精整线设备 ……………………………………………（84）
　　10.1　压力矫直机安装 ………………………………（84）
　　10.7　喷丸机安装 ……………………………………（84）
11　安全及环保 ……………………………………………（85）
　　11.1　安全 ……………………………………………（85）

2 基本规定

2.0.1 挤压钢管工程设备是专业性很强的工程施工项目,为保证工程施工质量,本条规定对从事挤压钢管生产线设备安装的施工企业必须具有相应的资质,施工现场必须健全各项管理制度,强调市场准入制度。

2.0.3 施工过程中,经常会遇到需要修改设计的情况。本条明确规定,施工单位无权修改设计图纸,施工中发现的施工图纸问题,应及时与建设单位和设计单位联系,修改施工图纸必须有设计单位的设计变更正式手续。

2.0.4 使用不合格的计量器具,会对工程造成严重后果。机械设备安装中使用的计量器具必须按国家计量规定,定期计量检验合格,并在检定有效期内。

2.0.9 挤压钢管生产线工程设备的安全保护装置是保障设备安全运行和作业人员安全的必要设施,其安装位置及要求要符合设计文件的规定,在机组试运转中需要对安全保护装置的功能进行调试和试运转,其功能必须达到设计文件的要求。本条是强制性条文,必须严格执行。

2.0.11 根据现行国家标准《工业安装工程质量检验评定统一标准》GB 50252 的规定,结合挤压钢管生产线工程设备安装的特点,本条给出了挤压钢管生产线工程设备安装分项工程、分部工程和单位工程划分的原则,本条对分项工程、分部工程和单位工程划分是针对新建工程的,对应改扩建工程可根据工程的实际情况做适当的调整。

2.0.12 分项工程是工程验收的最小单位,是整个工程质量验收的基础。分项工程质量检验的主控项目是保证工程安全和使用功能的决定性项目,必须全部符合质量验收规范的规定,不允许有不符合要求的检验结果;一般项目的检验也是重要的,本条对机械设备工程和工艺钢结构工程的一般项目分别给出了不同的验收要求。

2.0.13 分部工程验收在分项工程验收的基础上进行。本条文给出了分部工程验收合格的条件:构成分部工程的各分项工程验收合格,质量控制资料完整,设备单体无负荷试运转合格,分部工程验收合格,设备的安全防护设施必须齐全、可靠,限位开关动作应准确无误。

2.0.14 单位工程的验收除构成单位工程的各分部工程验收合格,质量控制资料完整,设备无负荷试运转合格外,还须由参加验收的各方人员共同进行观感质量检查。

2.0.15 观感质量验收,往往难以定量,只能以观察、触摸或简单的测量方法,由个人的主观印象判断为合格、不合格的质量评价,不合格的检查点,应通过返修处理。

2.0.17 机组设备的功能和安全使用是每条生产线的最基本的要求,如果功能或者安全使用都无法保证,这样的工程质量是无法满足生产线最基本的要求,因此此条作为强制条文,规定必须满足生产线最基本的要求才能验收。

2.0.18 本条规定了工程质量验收的程序和组织。分项工程质量是工程质量的基础,验收前,由施工单位填写"分项工程质量验收记录",并由项目专业质量检查员和项目专业技术负责人(工长)分别在分项工程质量检验记录中相关栏目签字,然后由监理工程师组织验收。

分部工程应由总监理工程师(建设单位项目负责人)组织施工单位的项目负责人和项目技术、质量负责人及有关人员进行验收。

单位工程完成后,施工单位首先要依据质量标准、设计技术文件等,组织有关人员进行自检,并对检查结果进行评定,符合要求后向建设单位提交工程验收报告和完整的质量控制资料,请建设单位组织验收。建设单位应组织设计、施工单位负责人或项目负责人及施工单位的技术质量负责人和监理单位的总监理工程师参加验收。

单位工程有分包单位施工时,总包单位应按照承包合同的权利和义务对建设单位负责,分包单位对总包单位负责,亦应对建设单位负责。分包单位对承建的项目进行检验时,总包单位应参加。检验合格后,分包单位应将工程的有关资料移交总包单位。在建设单位组织工程质量验收时,分包单位负责人应参加验收。

有备案要求的工程,建设单位应在规定时间内将工程竣工验收报告和有关文件,报有关行政管理部门备案。

3 设备基础、地脚螺栓和垫板

3.1 设备基础施工

3.1.2 挤压钢管工程设备的基础工程,是由土建专业施工,土建专业应按现行国家有关标准验收后,向设备安装专业进行中间交接,未经验收和中间交接的设备基础,不得进行设备安装,界定施工质量管理责任。

3.1.3 明确了设备基础交接时强度应达到设计文件规定。

3.1.7 机组的穿(扩)孔机、挤压机、轧机等基础和部分重要设备的基础应进行沉降观测并形成观测记录。

3.2 设备基础验收

3.2.2 设备安装前,应按施工图和测量控制网确定设备安装的基准线。所有设备安装的平面位置和标高,均应以确定的安装基准线为准进行测量。生产线的纵、横向中心和生产线上的主体设备的中心均应埋设永久性的中心标板,主体设备旁应埋设永久性标高基准点,使安装施工和今后的维修均有可靠的基准。

　　永久性中心标板和标高基准点在工程竣工验收后,要移交工程接收单位供今后生产检修使用。因此要求采用铜材或者不锈钢材质制作,设置要牢固并应便于维护。

3.4 地脚螺栓验收

3.4.1 挤压钢管生产线机组设备的地脚螺栓,在设备生产运行过程中受冲击力,涉及设备的安全使用功能,因此将地脚螺栓的规格和紧固必须符合设计技术文件要求列入主控项目。设计技术文件明确规定了紧固力矩的地脚螺栓,应按规定进行紧固,并有紧固记录。

3.5 垫板安装

3.5.1 设备垫板的设置,设计技术文件中有要求的应按设计技术文件要求设置;设计技术文件无要求时,每个地脚螺栓的旁边应设置两个垫板组,垫板组应靠近地脚螺栓和设备主要受力部位。垫板施工应符合现行国家标准《机械设备安装工程施工及验收通用规范》GB 50231 的有关规定。

3.5.2 座浆法安装垫板是在基础上用高强度无收缩混凝土埋设垫板,垫板的标高根据设备标高计算得出。座浆法安装垫板的施工工艺应符合国家现行标准的有关规定。近年来,在大型设备安装中,有采用灌浆法安装垫板,其方法是先将平垫板固定并调整好,再用高强度微膨胀灌浆料浇注。

3.6 垫板验收

3.6.1 规定座浆法设置垫板时,其混凝土的强度要在48h内达到设计强度,以便于设备的安装。

4 设备及材料进场

4.1 一般规定

4.1.3 设备安装前,设备开箱检验是必要的程序,设备开箱时建设、施工、设备厂家等各相关方代表均应参加,并应形成验收记录。检验内容主要有:设备名称、规格、型号、数量、箱号、设备表面质量、有无缺损件、随机文件、专用工具、备品备件、混装设备清点分箱分类等。

4.2 设备及材料验收

4.2.1 挤压钢管工程设备安装中所涉及的设备、标准件等进场应进行检查验收。验收记录应包括设备型号、规格、数量等内容。设备质量合格证明文件应齐全。

4.2.2 挤压钢管工程设备安装中所涉及的材料进场应进行检查验收。验收记录应包括原材料规格,进场数量,用在何处,外观质量等内容。产品质量合格证明文件应齐全,并检查是否与实物相符。

5 管坯准备段设备

5.3 剥皮机安装

5.3.6 单体机床类设备安装完成后应进行单机调试,调试合格后需要重新检查设备安装精度符合要求后才能进行二次灌浆固定。

5.3.7 剥皮机设备二次灌浆工作,因为机床类设备在使用一段时间后,需要对设备进行重新调整,调整方法就是调整可调垫铁,所以规定灌浆时将可调垫铁进行有效隔离,留出垫铁调整空间。

6 穿(扩)孔机

6.3 机架安装

6.3.1 穿(扩)孔机机架重量较大,需要确保底板灌浆料的强度达到设计规定值后才能进行就位安装。

6.3.2 穿(扩)孔机主机架为整体式供货,需要在现场进行整体翻身和吊装就位。

6.5 镦粗梁(穿孔梁)安装

6.5.1 机架安装调整完成后,镦粗梁、穿孔梁、扩孔筒等设备均安装在机架内部,需要采取倒装顺序,从上部设备先就位,顺序往下安装,方便车间内行车的吊装。

6.10 机械手验收

6.10.1 机械手按照工作功能分为上料机械手、出料机械手、扩孔筒机械手,上料机械手、出料机械手安装在轨道上移动,需要先验收轨道安装精度,再验收机械手安装精度符合要求;扩孔筒机械手附属固定在设备上,验收机械手安装精度符合要求。

6.13 穿(扩)孔机试运转

6.13.2 穿(扩)孔机液压系统有多台高压泵并联构成,液压系统具有高压、大流量特性,油箱容积大。在调试前需要先将主泵制动动作调试完成,液压驱动的机械调试过程中,发现有机械问题或系统泄漏应能立即停止主泵运行,确保安全。

7 挤 压 机

7.6 张力柱验收

7.6.1 张力柱安装调整完成后,需使用专用拉伸张紧工具对张力柱进行拉伸,施加预应力,预应力值大小必须符合设计文件规定。

10 精整线设备

10.1 压力矫直机安装

10.1.5 主减速机纵、横水平检测部位,设备厂家均在减速机下箱体上表面单独加工了检测面,若无单独检测面,应打开减速机上箱盖,以下箱体机械加工面为基准。

10.7 喷丸机安装

10.7.3 使钢管顺利滚到入出口辊道上,上、下料台架标高应相对入口、出口辊道标高而定。

11 安全及环保

11.1 安 全

11.1.7 本条为强制性条文,必须严格执行。吊装区域设置安全警戒标志和警戒线的目的是提示非作业人员严禁入内,否则,一旦进入,就可能造成人身伤害。